Le Cidre

LE CIDRE

Bernard Rio

HURTUBISE

HMH

Conception : Jean-Paul Paireault
Mise en page : Hatier Littérature Générale

© Hatier Littérature Générale, Paris 1997.

Tous droits réservés
Dépôt légal : 97.01.26
ISBN : 2.7438.0125.5

Dans la même collection :
Les Épices
L'huile d'Olive
La Tomate

© 1997, Éditions Hurtebise HMH LTÉE,
pour la langue française au Canada.
Le CIDRE - ISBN : 2-89428-206-0

Imprimé par Graficromo, S.A., Córdoba, Espagne.

SOMMAIRE

Le cidre, un art de vivre

Strabon, Virgile, Plutarque, Pline l'Ancien, Palladius évoquent dans les textes antiques le vin de pomme tantôt brassé avec du miel, tantôt mélangé avec la poire ou la corme... Le cidre est renommé à la table de la reine Radegonde, de François Ier, du roi de Navarre Sancho el Mayor, de Charles Ier d'Angleterre... Il est pressé dans les abbayes de Landévennec, Jumièges et Saint-Ouen. Il est loué par des écrivains, le troubadour Neidhart von Reuenthal, les poètes Pierre de Marboeuf et Thomas Hardy... Il est l'objet de toutes les attentions de seigneurs férus de pomologie, Guillaume Dursus, Gilles Picot de Gouberville, le vicomte Scudamore... Julien Le Paulmier lui consacre, en 1588, chez l'éditeur Guillaume Auvray, le prestigieux traité *De vino et pomaceo*, Olivier de Serres l'honore dans son *Théâtre d'agriculture* en 1600, John Evelyn lui dédicace *Sylvia* en 1664... Jusqu'à l'orée du XXe siècle, la pomologie est une science.

Le cidre est hors mode. Il appartient à une mémoire collective, boisson si patrimoniale que les administrations ne parviendront pas à la proscrire de ses fiefs que sont la Bretagne, la Normandie, le Perche, la Thiérache, le pays d'Othe...

L'invention de la presse au XIIIe siècle, l'utilisation des appareils de centrifugation et de filtration, aujourd'hui l'étude des souches de micro-organismes modifient les techniques de fermentation et de production. Tout en devenant un important enjeu économique, le cidre demeure une boisson traditionnelle. Beaucoup, tellement plus qu'une boisson estivale, le cidre est un art de vivre.

BOUQUET

Un fruit mûr dégage un parfum suave qui apporte au cidre sa note végétale. Aussi doit-on veiller à utiliser des fruits aux odeurs épanouies pour le brassage des pommes. Des réactions entre les arômes, pendant la fermentation, naît le bouquet que l'alcool et l'acidité prolongent jusqu'au débouchage de la bouteille.

Le cidre millénaire

*"Remplir de pommes un sac à mailles serrées et en extraire le jus,
soit au moyen d'un poids, soit à l'aide d'un pressoir."*
Opus Agriculturae, *Paeladius*, IVe siècle

Là où il y a des pommes, il y a du cidre. Au Ier siècle avant l'ère chrétienne, le géographe grec Strabon décrit l'abondance de pommiers et de poiriers en Gaule et mentionne le *phitarra* au Pays Basque, un breuvage obtenu en faisant bouillir des morceaux de pomme et du miel dans de l'eau. Un siècle plus tard, dans ses *Propos de table*, Plutarque écrit : *"Ceux qui aiment le vin, quand ils n'en peuvent avoir de celui de la vigne, usent de la bière, breuvage contrefait d'orge, ou bien de cidre fait de pommes ou de dattes..."* Pline l'ancien traite également dans son *Histoire naturelle* des vins de pommes, de poires et de cormes. Au IIe siècle, Tertullien parle du *pomorum*. Au VIIIe siècle, le cartulaire *De villis imperiabilibus*, réglemente les plantations royales des Carolingiens. Les intendants doivent non seulement planter et entretenir des vergers mais aussi recruter des *sicetores* qui connaissent l'art de faire un bon *pomatium* pour la table impériale. Au milieu du VIIIe siècle, la *Vie de sainte Ségolène* indique que l'abbesse de Troclar, près d'Albi, ne boit que de l'eau et du poiré. Enfin la *Vie de saint Guénolé* écrite au IXe siècle révèle une ancienne coutume en usage à l'abbaye de Landévennec. Le document indique qu'au Ve siècle le saint breton consommait *"un mélange d'eau et de sucs de pommiers des champs ou des forêts"*.

LA TENEUR EN SUCRE D'UNE POMME VARIE SELON LES VARIÉTÉS ET DONNERA UN CIDRE SEC, DOUX OU MOELLEUX...

CIDRE OU VIN DE POMME

Tout comme le nom du fruit latin (pomum) a identifié la pomme (pomum malum), c'est un mot générique qui a prévalu : sicera en latin, shekar en hébreu, sikera en grec désignent le cidre. Shekar serait passé sous la forme latine sicera dans La Vulgate au IVe siècle. C'est le sicera utilisé par saint Jérôme et ses continuateurs dont Isidore de Séville qui désignera la boisson fermentée du pommier. Et c'est au XIIe siècle qu'on relève la première apparition du mot "cidre" dans le Psautier de Cambridge.

Dans l'Ancien et le Nouveau Testament, le shekar définit toute boisson fermentée autre que le vin de vigne. Par contre, le cidre est en Europe distinctement identifié à la pomme. Les Bretons disent chistr, les Catalans sizra, les Basques sidra, les Britanniques cider ou applevintage, les Allemands emploient, selon les régions, cider, apfelwein, most ou viez. En Autriche, c'est le most qui prévaut. On le retrouve dans le français moût.

C'est encore dans un monastère, l'abbaye des bénédictins d'Admont en Styrie, qu'un document atteste en 1074 la fabrication et la consommation de vin de pommes. En 1163, Enjuger de Bobon accorde à l'abbaye de Marmoutiers en Normandie la dîme des pommes des vergers et des bois. On retrouve d'autres actes de cette nature tout au long des siècles. En 1183, Robert, comte de Meulan, autorise les moines de Jumièges à récolter les pommes dans sa forêt de Brotonne afin de brasser un *pomacium*. Quelques années plus tard, la règle bénédictine proscrit cidre, hydromel et bière dans les monastères afin de favoriser l'utilisation du vin pour le sacrifice de la messe. Pourtant, les religieux perpétuent jusqu'au XIVe siècle la tradition de la boisson fermentée de pommes.

VIEUX PRESSOIR
À POMMES,
NORMANDIE

L'ÂGE D'OR DU CIDRE

Un événement va marquer l'histoire du cidre au XIIIe siècle : l'invention de la presse. L'âge d'or du cidre commence. En 1205, on signale en Grande-Bretagne les premiers achats importants de cidre par la noblesse. En 1240, le troubadour Neidhart von Reuenthal célèbre le bon vin de pomme et de poire en Autriche. C'est tout l'Ouest et le Centre de l'Europe qui produisent et vendent du cidre. Outre-Manche, des crus de grande qualité sont ainsi attestés au XIVe siècle dans les comtés du Sud-Ouest.

Sur le continent, le cidre est partout, au pied du Mont-Blanc et sur les bords du Danube. Il devient la boisson commune des paysans et des gentilshommes. En 1464, Charles Estienne publie à Rouen

fig. 1

L'agriculture et la maison rustique, un livre de conseils pour l'entretien des vergers. Lentement, le pommier poussé sur le bord des talus cède le pas à des vergers plantés à l'abri du vent. Des variétés nouvelles sont greffées. Guillaume Dursus, seigneur d'Estré, greffe la "Bisquet" toujours recommandée par l'INRA pour la plantation du verger contemporain.

Dans son Journal, le sire de Gouberville s'intéresse lui aussi à l'amélioration des pommiers et à la fermentation du cidre et mentionne ainsi et non sans fierté avoir distillé son premier cru à la date du 28 mars 1553.

Le cidre est un art de vivre au XVIᵉ siècle. Les gentilshommes plantent, greffent, pressent, servent et dégustent. Ils composent des crus de propriétaires, tels le cidre du sieur de Beuzeville-sur-le-Véry, uniquement pressé avec les variétés "Chevalier" et "Pomme-

PRESSOIR À CIDRE.
GRAVURE.
ENCYCLOPÉDIE DIDEROT.
(1747 - 1766)

Poire" ou celui du sieur d'Aignerville qui ne brasse que des pommes de "Gault". Ce qui est vrai sur le continent l'est aussi dans les îles Britanniques où la classification et le développement des pommes à cidre est due à une noblesse attachée aux terroirs.

Dès le XVIᵉ siècle, les pomologues recommandent d'utiliser les pommes aigres-douces pour presser un cidre délicat et d'y ajouter quelques pommes acides pour empêcher le noircissement. Ils distinguent et classent les cidres selon leur couleur et leur saveur : *"Après les sidres rouges, tannez et orangez viennent ceux de couleur d'ambre, les plus propres de tous pour la nourriture de l'homme. Cette couleur est presque jaune et fort transparente, elle rappelle la couleur de l'ambre ou succin."* Le traité *De vino et pomaceo* de Julien Le Paulmier est un livre de référence. Tout y est écrit, de la qualité des pommes à la conservation des cidres.

L'Europe se libère de sa dépendance vis-à-vis des vins du Sud. Le vin de pomme devient la boisson à la mode. Les agronomes de la Renaissance retrouvent et adaptent les techniques arboricoles de l'Antiquité. En 1600, Olivier de Serres propose dans son *Théâtre d'agriculture* un grand choix de pommes pour presser le cidre. Philipp Jakob von Grunthal, seigneur de Zeilhern dans la province de Mostviertel, le verger de l'Autriche, loue le meilleur des cidres dans son *Livre de la bonne maison*. En 1676 paraît *Vinetum Britannicum* de John Worlidge qui veut être *"la meilleure méthode de faire le meilleur cidre"*. En 1758, Charles-Gabriel Porée, chanoine à Caen, inaugure un premier classement méthodique des pommes en fonction de leur floraison et de leur récolte... Au Pays Basque, dès le XVIIᵉ siècle, les *Fueros* réglementent la nature des cidres et condamnent quiconque ose vendre du cidre coupé d'eau.

UN ARBRE EUROPÉEN

Chaque pomme est l'émanation fidèle d'un terrain et d'un climat. Nourrie de l'arbre planté, la pomme fait le cidre. La sève de son tuteur lui apporte les huiles essentielles qui lui donneront son goût. Arbre indigène, le pommier aime l'Europe et tout particulièrement un climat tempéré. Le pommier fructifie dans tous les terrains, mais il affectionne les sols granitiques, schisteux et sablonneux.

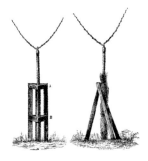

Le succès du cidre ne se dément pas jusqu'au XVIIIᵉ siècle. Et cette consommation ne laisse pas insensible les collecteurs d'impôts. Au XVIIᵉ siècle, la régie des boissons taxe le cidre à l'instar du vin. Le cidre devient avec le vin et le sel une importante source de revenu fiscal. Et le contrecoup est immédiat. L'excès d'impôts, aux frontières des provinces exemptées comme la Bretagne et dans les terres soumises à l'impôt royal, freine l'expansion du cidre hors de sa zone de production. Après l'Église du Moyen Âge, c'est l'État qui réglemente et proscrit. Le ministre Colbert prend un arrêté pour interdire le cidre et l'eau-de-vie de cidre sur les vaisseaux de guerre et de commerce. Un monopole est accordé aux produits de la vigne… Rien de tel en Grande-Bretagne où le cidre est embarqué sur les navires pour prévenir le scorbut. De même au Pays Basque où au XVIIᵉ siècle les marins font provision de cidre avant de partir pêcher la baleine à Terre-Neuve et au Groenland.

La taxation continentale est bientôt imitée outre-Manche. En 1643, le Parlement de Grande-Bretagne impose une taxe sur chaque barrique. Un siècle plus tard, en 1763, une nouvelle taxe est imposée pour financer la guerre de Sept Ans…

À partir de la seconde moitié du XIXᵉ siècle, les notables se préoccupent de "sciences naturelles". Ils herborisent, ils greffent, ils plantent, ils lisent les auteurs anciens et collectent les adages.

Mais quoique fassent et disent les pomologues, le cidre demeure une boisson rurale fabriquée à l'ancienne. Plus que les communications savantes, ce sont les malheurs du vin qui vont contribuer à l'amélioration de la production cidricole. L'oïdium en 1848, le mildiou en 1870, le phylloxéra en 1900 ravagent le vignoble. Un énorme marché commercial s'ouvre au cidre des 36 départements producteurs. L'essentiel de la récolte estimée à plusieurs millions d'hectolitres vient de Normandie, de Picardie et de Bretagne. Elle quadruple en trente ans. De 4 millions d'hectolitres en 1870, elle atteint 14 millions d'hectolitres en 1900. Et la consommation suit. À Paris, le cidre remplace le vin. De 15 000 hectolitres consommés

en 1854 dans la capitale française, c'est 160 000 hectolitres qu'il faut servir sur les tables et les comptoirs parisiens en 1896.

La profession préconise alors de nouvelles plantations de pommiers et une réglementation rigoureuse pour contrôler la qualité des produits. Mais au début du siècle, les préparatifs de guerre vont à la fois doper artificiellement et abaisser la qualité de la production cidricole française du début du siècle. Le gouvernement réquisitionne les pommiers. Il compte en effet sur les vergers pour subvenir aux besoins en alcool de l'industrie d'armement. Au lendemain de la guerre, la situation s'est détériorée et la Seconde Guerre mondiale réduit à néant les efforts entrepris. Le verger normand est ravagé. On ne compte plus que 3 000 producteurs indépendants en 1945... La production annuelle estimée à 4 millions d'hectolitres en 1945 tombe à 3 millions d'hectolitres en 1956.

Le déclin de la production cidricole française est planifié. En 1953, le gouvernement français inaugure par décret une politique d'arrachage des pommiers. En 1956, le gouvernement cesse toute politique de soutien au verger stratégique. Remembrement, exode rural et changement des modes de vie sonnent le glas d'une production fermière traditionnelle. Plus tard, la mise sur le marché d'une nouvelle gamme de boissons alcoolisées et aromatisées à base de pommes autorisée par le décret du 29 juillet 1987 et une nouvelle réglementation permettant l'utilisation des concentrés pour l'élaboration de cidre jusqu'à 50 % du volume de moûts ont relancé la production.

BUVETTE DE LA FORÊT SAINT-GERMAIN, POISSY. PAR AILLEURS, À PARTIR DE 1932, LES CONCOURS DE CIDRES CONNAISSENT UN VRAI SUCCÈS, NOTAMMENT EN BRETAGNE, LE JURY DEVAIT DÉGUSTER PARFOIS PLUS DE 700 BOUTEILLES !

RECOMMANDÉ
PAR LA MÉDECINE

Au fil des siècles, les doctes héritiers d'Hippocrate ont avec une belle constance défendu les vertus de la pomme et du cidre : en 1664, un praticien britannique, John Evelyn, observe que "généralement tout cidre plaisant et fort excite et purifie l'estomac, fortifie la digestion et infailliblement libère les reins et la vessie et empêche de sécréter des pierres..." *Propos que Gabriel du Moulin confirme dans son* Histoire générale de Normandie *écrite en 1631 :* "Le sidre, pour une qualité naturelle, humecte davantage que le vin et empesche tant les opilations de la rate et du foye que l'obstruction des hyponchondres."

Au XIXe *siècle, le docteur Denis Dumont confirme que* "le cidre remplace avec avantage la plupart des eaux minérales."

Les analyses contemporaines attestent pareillement ses qualités toniques, reminéralisantes et diurétiques. Les substances minérales, l'albumen azotique et les hydrates carboniques accélèrent la digestion et tonifient le cœur. Le cidre apporte à l'organisme eau, fructose, glucose, sels minéraux, vitamines B, C et P, oligo-éléments... L'acide malique stimule les fonctions hépatiques et contribue à transformer en énergie les molécules de sucre, d'alcool et de graisses.

De l'art de presser les pommes

"Petites pommes, gros cidre", dicton normand

La transformation du moût de pommes en bon cidre suppose une maîtrise des règles de fermentation et tout cidriculteur se doit d'être aussi un savant arboriculteur. On n'élève en effet pas n'importe quel cidre avec n'importe quels fruits. Les variétés dites à cidre restent la matière première indispensable à la production d'un cidre de bonne tenue. Les bonnes pommes à cidre seront à la fois acides et sucrées pour garantir la fermentation et une honorable teneur en alcool. Elles seront aussi taniques pour le clarifier et l'aseptiser.

Une fois récoltées, les pommes doivent être lavées puis entreposées à l'abri des intempéries pour achever leur maturation. Ensuite il convient de les transformer en moût, du latin *mustum* (jus), *most* en allemand, *must* en anglais.

Le moût de pomme possède tous les ingrédients de base du cidre : le sucre pour transformer le moût en alcool, l'acide malique pour le clarifier, les tanins pour le colorer, les matières azotées pour sa fermentation… Dès la première presse, les ferments sont à l'œuvre. Dans le fût, le moût se trouble, il libère ses premiers chapelets de bulles, le sucre se change en alcool. La science du récoltant est alors d'avoir choisi les variétés qui produiront un cidre parfumé, alcoolisé, effervescent et coloré.

SAVANTS DOSAGES

C'est dans le verger que le cidriculteur élabore son cru. À chaque variété de pommes sa saveur propre : douces, amères, douces-amères, aigres-douces.. Il y a ensuite le soleil, la pluie et le vent, la terre et le travail de l'homme. Les mêmes variétés de pommes utilisées dans les mêmes dosages donneront des cidres aux parentés singulières dans des caves différentes. Reste une équation élémentaire pour équilibrer son cru : sucre, acidité, tanin. Le mélange des saveurs est affaire de goûts. Et dans ce domaine, les pommes sont reines.

DES OPÉRATIONS SUCCESSIVES PRÉCISES

LE BROYAGE : Pour presser les pommes, les moyens sont multiples, le plus souvent un broyeur à palettes ou une râpe à cylindres.

LE CUVAGE : Après le broyage des pommes, suit le cuvage. La pulpe obtenue est entreposée plusieurs heures pour décanter à l'abri de l'air. Ce cuvage, qui ne se prolonge guère au delà de 24 heures, donne un meilleur rendement en jus de la pulpe, favorise la coloration du cidre et l'épanouissement des arômes naturels.

BROYEUR MÛ PAR UN MANÈGE À PLAN INCLINÉ. UN BROYEUR ACTIONNÉ À BRAS D'HOMME, RELAYÉ TOUTES LES DEMI-HEURES, PEUT FAIRE 10 HECTOLITRES À L'HEURE, UN BROYEUR À MANÈGE AVEC UN CHEVAL, ENVIRON 15 À 25, UN BROYEUR À VAPEUR, 25 À 35, VOIRE PLUS. (*LA CIDRERIE MODERNE*, 1902).

LE PRESSAGE OU PRESSURAGE : Le rendement de la pulpe en jus oscille de 60 à 90 %, selon les pressoirs et les techniques de pressage. Une pomme est composée à 95 % de liquide et c'est ce jus qu'il convient d'extraire par tous les moyens. Des 500 litres par tonne de fruits extraits dans les pressoirs à vis, on atteint désormais un rendement de 800 litres dans les pressoirs hydrauliques.

Aujourd'hui, le pressage est encore amélioré par des adjuvants comme la cellulose. Des producteurs artisanaux répètent le pressage une deuxième fois. Ce remuage ou retrempage du marc restant avec de l'eau permet d'obtenir un "petit cidre". Il sera utilisé pour des breuvages familiaux ou mélangé au premier jus.

Épuration naturelle du moût avant la fermentation : Le tanin joue alors son rôle d'antiseptique et de purificateur. Quelques jours après la fabrication du moût, les matières pectides réagissent au tanin. Elles gélifient le liquide avant de se contracter en caillots de pectine. Ces matières putrescibles en suspension se coagulent, se précipitent au fond du tonneau (les lies) ou remontent à la surface (le chapeau brun ou *coagulum*). Les levures, bactéries et moisis-

sures sont ainsi éliminées en se fixant dans les lies. Le producteur prête une attention toute particulière à cette étape. En effet, si le chapeau brun crève, les matières coagulées se mélangent à nouveau au cidre. Tout est à recommencer. Dès l'émergence des premières bulles de gaz carbonique, il faut surveiller avec attention l'évolution du liquide. À l'accélération du "bouillonnement", il est temps de soutirer. Pour réduire le temps de défécation, on a recours à un adjuvant (carbonate de calcium, chlorure de sodium, chlorure de calcium, sulfate, sucrate). Utilisé également dans la vinification, le collage à la gélatine permet de clarifier rapidement et sûrement le cidre. Cette opération se déroule soit entre 15 et 20 °C, soit à 50 °C. Le jus est ensuite filtré.

FABRICATION DU CIDRE DANS UNE FERME

LE SOUTIRAGE : Le soutirage du liquide clarifié est une opération effectuée immédiatement après la défécation.

PRESSOIR À POMMES

LA FERMENTATION : C'est une opération qui détermine la nature du cidre. En barrique ou en cuve, le cidre doit être entreposé à moyenne température, entre 10° et 15°. L'ouillage est de rigueur. Cette pratique consiste à compléter le fût avec du jus afin qu'il soit toujours plein à ras bord. La fermentation dépend ensuite d'une variation de la température, des levures, des matières azotées…

Dans des conditions normales, la fermentation dure entre un et trois mois, selon la qualité souhaitée, cidre doux, demi-sec ou brut. Dans l'absolu, un produit non pasteurisé vit plus longtemps. Le dégagement continu de gaz carbonique le protège des agressions (altération par l'oxygène de l'air) et des dégénérescences (vinaigre).

Des additions de sucre, autorisées en Grande-Bretagne, permettent également de prolonger la fermentation et d'augmenter notablement le degré alcoolique. Mais cette chaptalisation se fait au détriment du bouquet, de la couleur et du fruité du cidre qui s'éclaircit et s'alcoolise. Si la défécation et le soutirage ont été bien réussis, la durée de fermentation sera d'autant plus longue. La pauvreté d'un cidre en matières azotées ralentit en effet sa fermentation. On obtiendra ainsi un cidre doux, titrant parfois moins de 2°. Mais la clarification pré-fermentaire ne supprime pas totalement les matières azotées. La tendance est de recourir à des pommes dont la teneur en azote est plus élevée. À la différence de l'Allemagne où le producteur recherche une fermentation rapide, les cidriers français, qu'ils soient Bretons, Normands ou Picards, essaient de réduire la teneur en azote pour prolonger le temps de fermentation et ainsi développer les arômes et augmenter naturellement la teneur en alcool du produit. Mais lorsque tout le sucre est transformé en alcool, le risque d'une fermentation acétique apparaît.

Aujourd'hui, de plus en plus d'industriels français déclenchent et

(Ci-contre)
MONTAGE DU MARC DE
POMMES, VERS 1928

(Ci-dessous)
LE PRESSOIR À CLAIE
CIRCULAIRE. ON DISPOSE
LA PULPE SUR LA CLAIE
INFÉRIEURE, EN
COUCHES HORIZONTALES
DE 12 À16 CM, ET L'ON
SÉPARE CELLES-CI PAR
DES LITS DE PAILLE DE
SEIGLE OU DE BLÉ.
LE BUT EST DE
CONSTITUER UN BON
DRAINAGE DU MARC.
(*LA CIDRERIE MODERNE*,
1902)

contrôlent la fermentation de leurs cidres avec des souches de levure parfois prélevées sur la récolte précédente ou issues d'autres flores. Mais cette maîtrise de la fermentation a un contrecoup : l'appauvrissement aromatique du cidre. Le cidrier peut également choisir de ralentir la fermentation en stockant le moût clarifié en chambre froide, ce qui lui permet de réactiver au moment choisi la fermentation et de vendre tout au long de l'année des cidres doux, bruts ou traditionnels.

COULEURS

La coloration des cidres varie selon les pommes utilisées et dépend également de la maturité des fruits et de la fermentation. La gamme repose sur cinq nuances : blond rougeâtre, blond orangé, blond jaunâtre ou ambré, ambré pâle ou verdâtre. Le producteur pourrait modifier la palette de son cidre en fonction des variétés choisies. Mais la couleur ne suffit pas à qualifier un cidre. À chaque récolte la limpidité et l'effervescence changent et nuancent la personnalité du cru.

MISE EN BOUTEILLE : Après la fermentation en fût, on opère un deuxième soutirage pour éliminer les lies résiduelles et obtenir une limpidité absolue avant la mise en bouteille.

Le cidre est mis en bouteille au stade de fermentation et de densité souhaitées, selon que l'on veut obtenir un cidre doux, demi-sec ou brut. Les fermiers veillent toujours à opérer par un temps sec pour éviter une perturbation du produit. Mais dans une unité d'embouteillage automatisée, le cidre est soutiré sous pression après sa pasteurisation. Les conditions atmosphériques n'ont alors aucune incidence sur la boisson.

Les cidres mousseux étant désormais davantage prisés des consommateurs, ils conservent suffisamment de sucre pour dégager du gaz carbonique. Dans la production industrielle, cette effervescence est la plupart du temps obtenue en cuve pressurisée et, si besoin est, une gazéification complémentaire intervient au moment de la mise en bouteille. La pasteurisation peut aussi intervenir à cette étape. Tel n'est pas automatiquement le cas en milieu artisanal et fermier, où la prise de mousse est souvent naturelle. C'est alors, après quelques semaines de mise en bouteille, que le cidre parfait son pétillement et son bouquet.

LA CONSERVATION : Il ne reste alors plus qu'à consommer le cidre ou à le conserver. Il est généralement admis qu'un cidre, faute d'un degré d'alcool élevé, ne se garde pas au-delà une année. Dans la réalité tout dépend de la qualité de la cuvée, un cidre dûment élaboré peut aisément être conservé trois ans dans une cave. Certains cidriers produisent des cuvées spéciales qui tiendront plus de cinq ans.

RÉGLEMENTATION ET CERTIFICATION

En France, la fabrication du cidre est régie par un décret du 30 septembre 1953 modifié le 29 juillet 1987. Les cidriers français peuvent reconstituer des moûts à partir de concentré ou demi-concentré de jus de pomme dans la limite de 50 % du volume total des moûts utilisés. Le degré d'alcool est fixé à 5,5° pour les cidres bouchés tandis que le degré maximum des cidres doux est à 3 %. Une première a eu lieu en octobre 1995 avec la reconnaissance de deux premiers crus par l'Institut national des appellations d'origine. Le cidre de Cornouaille, en Bretagne, et le cidre du pays d'Auge, en Normandie, ont ainsi obtenu leur appellation d'origine contrôlée. La boisson mise en bouteille doit répondre à une norme sévère pour avoir droit à la fameuse mention A.O.C. D'autre part, la protection des "appellations d'origine et des indications géographiques" a fait l'objet d'une réglementation par le Conseil de la Communauté européenne le 14 juillet 1992. Elles visent ainsi à valoriser les productions régionales en identifiant la qualité et la provenance des cidres. Les producteurs disposent d'un délai de sept ans, à compter de 1994, pour faire reconnaître leur récolte. Trois régions prétendent d'ores et déjà à l'Indication géographique protégée : la Normandie (haute et basse Normandie), la Bretagne (cinq départements) et le pays d'Othe (Yonne - Aube).

Ci-contre
CAVES DE LA CIDRERIE
ERIC BARON

VERGER NORMAND EN
SEINE-MARITIME

La Bretagne acidulée

"Buvons entre nous le cidre de Bretagne qui brille dans le verre et chauffe le cœur !
À la bonne santé de nos aînés, buvons les premières gouttes !
Buvons le bon cidre ! Buvons !"
Théodore Botrel, *Buvons du bon cidre*, 1911

LE *PRESSOIR*. MATHURIN
MÉHEUT (1882 - 1958)
LA ROUE PRESSE LES
POMMES À CIDRE DANS LA
CUVE CIRCULAIRE EN
GRANIT. (MUSÉE
MATHURIN-MÉHEUT,
LAMBALLE).
LE CIDRE A INSPIRÉ
D'AUTRES ARTISTES
COMME LE POÈTE
FRÉDÉRIC LE GUYADER
AVEC SA CÉLÈBRE : *LA*
CHANSON DU CIDRE (1901).

Le cidre breton a été bien mis à mal au xxᵉ siècle. En 1980, la Bretagne remembrée n'a conservé que le quart de ses vergers alors que la Normandie a su et a pu en sauvegarder les deux tiers. Ce chiffre a été aggravé par l'ouragan d'octobre 1987 qui a détruit 35 % des pommiers bretons. Malgré tout, miraculeusement, cette boisson traditionnelle et naturelle a perduré. Élaborés surtout à base de variétés acides, les cidres bretons se distinguent de leurs voisins par un goût plus acidulé, une robe plus claire et un degré d'alcool plus élevé dosant en moyenne de 5 à 7°.

Les crus de qualité se répartissent harmonieusement en Bretagne : bassin de Rennes, pays de Vilaine, vallée de la Rance, pays de Dol, Goëlo, Cornouaille, Vannetais... À chaque terroir correspond une variété de pommes : Kermerrien en Cornouaille, Guillevic en Vannetais, Petit Jaune dans le pays de la Mée, Rouget à Dol, Marie-Ménard dans le Goëlo... qui assure l'originalité du cru (acidulé dans le pays vannetais, amertumé en Cornouaille, sec dans le Goëlo).

Il y a un siècle la Bretagne produisait à elle seule trois fois plus de cidre que toutes les régions cidrières de la France contemporaine.

VOCABULAIRE

Selon les variétés utilisées et le temps de fermentation, le cru exhalera des notes fleuries et fruitées (menthe, rose, anis, violette, poire, pêche, prune, cerise, framboise...), des senteurs de sous-bois et de jardins, des accents de caramel, de noix ou de pommes fermentées spécifiques aux cidres de garde. On use du même vocabulaire œnologique pour en préciser les savoureux contours : fin, fondu ou harmonieux, gouleyant ou rafraîchissant, rond ou bien équilibré, capiteux, mielleux ou tendre, charpenté ou racé, court ou long en bouche.

Parmi tant d'autres installées en Ille-et-Vilaine, la cidrerie de Tabago à Redon fabriquait, en 1896, 7 000 hectolitres de cidre à destination de Paris, de la Suisse, de l'Espagne, des États-Unis, de l'Égypte, de l'Inde et de l'Indochine. Mais déjà, à la fin du XIXe siècle, les menaces étaient perceptibles, les perfectionnements apportés à l'agriculture ayant eu pour effet de faire disparaître les pommiers des terres très fertiles.

En 1980, Pierre Seznec fonde le Comité cidricole de développement et de recherches fouesnantais et finistérien (Cidref). 90 producteurs et 24 transformateurs du Sud-Finistère, enfin réunis sous la même bannière, se sont imposés des règles communes avant d'obtenir l'A.O.C. pour le cidre de Cornouaille. La production du terroir cherche à se distinguer des cidres industriels. Dans cette région de tradition, il était grand temps de réapprendre l'histoire et de retrouver les crus spécifiques.

Native de Quimperlé, la pomme Kermerrien est la reine des vergers finistériens. À maturité fin octobre, son jus est doux-amer, légèrement parfumé et bien alcoolisé (8°). En sus de la Kermerrien, les variétés de base que sont Marie-Ménard, Douce Moën, Douce Coëtligné, Peau de Chien, Prat Yeaod, se mêlent avec des variétés spécifiques aux crus locaux, variétés riches en sucre et en tanin.

Aujourd'hui, les nouvelles plantations

ont rétabli un niveau de production qui ne prête plus à sourire : 31 500 hectares pour le cru de Fouesnant, 19 000 hectares pour le cru bigouden, 23 000 hectares pour le cru de Pont-Aven, 16 000 hectares pour le cru de Clohars-Carnoët, 10 000 hectares pour le cru de la vallée de l'Aulne.

Demi-sec de 4 à 5°, à la robe lumineuse et au bouquet fleuri, le cidre du Sud-Finistère se distingue des autres terroirs bretons, avec toujours de belles variétés indigènes. La Doux Évêque Briz à Riec-sur-Belon, la Petite Bonnic à Moëlan…

Le pays de Fouesnant produit un cidre moelleux et légèrement amertumé. Les pommes utilisées sont la Sac'h Biniou, la Prad Yod, la C'hervb Ruz, la C'herv Gwenn, la Rous Koumoul, la Dous Chodec, la Dous Bloc'hig, la Cherv Rous, la Cherv Brav, la Boudenn Blad, la Aval'n Ankou, la Jaketig, la Aval Bouteille. Hervé Seznec à Ergué-Armel donne un parfait exemple d'un cidre de très bonne tenue du pays fouesnantais, à la fois sucré et amertumé, à partir de 25 variétés de pommes locales. Ambré, très légèrement voilé, au pétillement persistant, ce cidre, titrant sans excès 6°, solidement charpenté et à l'arôme fruité, garde un équilibre étonnant. Guy Le Lay est, lui aussi, un bon exemple de cidrier artisanal avec sa cidrerie des Menhirs à Plomelin. Les variétés locales représentent les deux tiers du pressage et assurent une bonne harmonie à un cidre bien fruité, légèrement miellé, pétillant et long en bouche.

Avec 6°, il se classe dans la catégorie

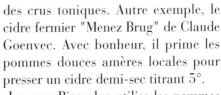

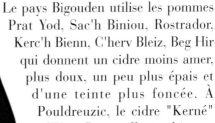

des crus toniques. Autre exemple, le cidre fermier "Menez Brug" de Claude Goenvec. Avec bonheur, il prime les pommes douces amères locales pour presser un cidre demi-sec titrant 5°.

Le pays Bigouden utilise les pommes Prat Yod, Sac'h Biniou, Rostrador, Kerc'h Bienn, C'herv Bleiz, Beg Hir qui donnent un cidre moins amer, plus doux, un peu plus épais et d'une teinte plus foncée. À Pouldreuzic, le cidre "Kerné" d'Yves Bosser illustre bien ce cru à la belle robe jaune, fruité, équilibré et long en bouche. Également repré-sentatif, le cidre fermier de M. Le Brun, propriétaire-récoltant à Plovan qui propo-se un cidre bouché pur jus à 6,5°, à la robe moins sombre, au parfum très fruité, à la saveur plus douce.

Le pays de l'Aven produit un cidre moelleux et un peu amer qui partage beaucoup de traits communs avec le cru de

Fouesnant. On y presse les pommes Kermerrien, Douce Moen, Dous Bloc'hic, C'herv Brizh, Gwennis Du, Gommer Koz, Penn Ognon, Médaille d'Or, Doux Évêque, Marin Onfron, Stang Dillat, Stang Ruz, Trejeunn Hir. Son voisin, le pays de Clohars-Carnoët est le fief des douces-amères. Pour fabriquer un cidre fermier

doux, clair et parfumé, on y privilégie
naturellement la Kermerrien, mais égale-
ment des Douce Rousse Braz, Douce Glaz Bien,
Douce Évêque, Kerc'h Ru, Douce Louet, Fréquin
ainsi que les variétés amères Stang Ru, Lost Came…
Les pommes de la vallée de l'Aulne : Douce Bihan
Kalet, Oignon, Pichouren, C'herv Gwen ar Bred,
C'herv Kergoat, Ker Coadic, Ti Ponch, Dous Kalet,
Palo Gwen, produisent un cidre plutôt pâle, bien frui-
té, quoique assez sec et presque acide.

Région où le cidre reste une passion, la Cornouaille
possède plusieurs dizaines de petits producteurs fermiers. Quelques artisans pressent des produits d'une
très grande qualité mais nul industriel n'y est aujour-
d'hui installé. C'est à l'Est, en Ille-et-Vilaine qu'il faut
chercher les plus importants cidriers de la Bretagne et
parmi les premiers de France.

Bedan, Barbarie, Jambe de Lièvre, Doux-Amer Gris,
Doux Courcier, Gros Fréquin, Doux Évêque, Vilbéry,
Chapronas, Monte en l'air, Mussette, Louis Desgué…
Les variétés du pays gallo sont toujours à recomman-
der dans la fabrication d'un cidre souvent de couleur
paille, plus léger que les crus cornouaillais, acidulé et
moins amer.

LES VERGERS ET LE VENT

Jadis les vergers du littoral atlantique et de la Manche étaient orientés au sud et sud-est. Les grands vents d'ouest étaient alors réputés funestes pour les pommiers : ils disper-sent les fleurs au printemps et secouent les arbres à l'autom-ne. Quant aux vents froids du nord, les "roux-vents", ils ne valent pas mieux, accusés de dessécher et d'empêcher la fécondation des fleurs. On dit en Bretagne que le beau temps adoucit le cidre et que la pluie le rend amer. C'est naturelle-ment vrai puisqu'un bel enso-leillement améliore la teneur en sucre de la pomme.

Exportatrice, la production de l'Ille-et-Vilaine prend depuis longtemps le chemin des grandes métropoles, Rennes, Nantes, Saint-Nazaire, Paris, Londres… Mais de petits producteurs fermiers, dans les pays de Redon, Fougères et Janzé, côtoient les géants Loïc Raison et La Fermière. Fondée en 1923, la cidrerie Loïc Raison à Domagné appartient au groupe Pampryl. C'est la plus importante unité de fabrication bretonne. La gamme des produits comprend les cidres doux à 2°, brut à 4° et traditionnel à 4,5°. Plus doux que les crus fermiers, ces cidres sont des produits de maturation rapide. D'une belle robe orangée et aux nuances végétales, la cuvée dite "traditionnelle" pétille peu ce qui la distingue du brut à la belle limpidité dorée. Les conditionnements diffèrent tout comme les procédés de fabrication. Tandis que les cidres bouchés sont pasteurisés et présentés en bouteilles champenoises, les cidres de table demeurent non filtrés et non pasteurisés.

Plus au sud de l'Ille-et-Vilaine, à Messac, "La Fermière" a fusionné avec les "Cidreries du Calvados". Le groupe C.C.L.F. est ainsi devenu le deuxième producteur français avec 350 000 hectolitres. Sec, demi-sec et doux, la gamme des cidres est distribuée en Bretagne et en Europe sous les marques "Écusson", "Bocages Écusson", "Pipardière", "Bolée des Korrigans" et "La Fermière". Il s'agit de cidres clairs et ambrés, au parfum de pommes bien affirmé, titrant de 1,5° à 6°. Ils sont mis sur le marché après trois, voire quatre semaines de fermentation.

C'est à l'occasion des fêtes d'automne, à la foire Teillouse de Redon ou à une partie de "pommé" dans le Cogles, lorsque les tonneaux en perce voisinent avec les marrons grillés, qu'il convient de déguster les cidres fermiers un tantinet âcre du

pays de Vilaine ou de Fougères. Entre les petits producteurs fermiers et les industriels de Domagné et Messac, il y a encore de la place pour quelques artisans. Parmi eux, les établissements Chapron à Plerguer fabriquent un très honorable cidre doux sous la marque "Sorre" du nom de la fondatrice. Depuis 1953, cette

UNE FÊTE DU CIDRE
AU CŒUR DE L'ARGOAT,
DANS LES ENVIRONS DE
QUINTIN, CÔTES D'ARMOR

BOLÉE de PAIMPOL

Grand Cidre Bouché

Produit Breton

Débarquement des pommes à cidre à Paimpol en 1912

5%vol.

Produit et mis en bouteille par
Cidrerie Guillou - Le Marec . Paimpol

75cl

3 361990 005268

"Près de Tréguier, l'eau, le cidre ou le lait accompagnent les quatre repas quotidiens composés de soupes, de bouillies d'avoine et de beurrées",
L'Agriculture dans les Côtes-du-Nord, 1844

GRAND CIDRE BOUCHÉ BRETON
ARTISANAL

CONCOURS GÉNÉRAL PARIS

PUR JUS NON PASTEURISE

Vallée de la Seiche

75 cl
4,5% Vol.

Conserver debout. Servir frais avec galettes,crêpes,etc. et comme boisson rafraîchissante

ELABORE ET MIS EN BOUTEILLE
A LA CIDRERIE MICHEL MAMAN SERVICES
35150 JANZE - Tél. 99 47 03 01 - Fax : 99 47 21 80

MARQUE DÉPOSÉE

petite cidrerie artisanale élève un cru de qualité, limpide, à la mousse fine, d'une jolie teinte jaune, bien parfumé quoique un peu court en bouche. À Janzé, Michel Maman produit un cru de la "vallée de la Seiche". Parmi les plus vieilles caves de la région, cette cidrerie, fondée en 1924, respecte la tradition du pur jus non pasteurisé... et maintient un assemblage traditionnel pommes-poires qui améliore la clarification et prolonge la garde jusqu'à 18 mois.

Au nord de la Bretagne, à proximité de Paimpol, c'est dans le Goëlo que se perpétue une riche tradition cidrière, d'ailleurs attestée par le dictionnaire géographique et historique de Bretagne d'Ogée (1778-1780). Terroir qui va du Trieux jusqu'à Quintin, le pays Goëlo produit un cidre sec quoique capiteux au bouquet amer et à la garde longue. Ici la Kermerrien cède la place à la Marie-Ménard originaire de Matignon, une pomme qui parvient à maturité début novembre, au moût amer et tanique, assez coloré et parfumé. C'est aussi le verger de la pomme de Cazo, de Kriskin Ruz, Brizh Norman Ruz, Brizh Normand Gwenn, Chevalier Jaune, Dous Haveg, Aufrich Soaz, Dous d'Août, Amère Forestier, Yacinthe David, Rousse de Plourhan, Sainte-Hilaire... Pommes douces-amères et amères affirment l'originalité du Goëlo, un terroir de cidres secs amertumés.

La cidrerie paimpolaise Guillou-Le Marec, fondée en 1892, presse un cidre, à la robe jaune paille, pur jus, sous la marque "la bolée de Paimpol".

À l'instar des Cornouaillais, les cidriers du pays Goëlo tentent de se rassembler pour défendre la spécificité de leur cru. Créé en 1985, le Comité Initiative Développement Recherche en Cidre rassemble une quarantaine d'indépendants. En 1988, douze producteurs se sont associés dans une coopérative : la Cave cidricole de Goëlo à la Roche-Derrien.

Industriel primé dans les concours, la Coopérative des celliers associés, à Pleudihen-sur-Rance, dans la vallée de la Rance, produit un cidre limpide, à la robe dorée mais sombre, amertumé et à la saveur âpre. Éloignée des flux touristiques, la Cidrerie artisanale Barbé à Merdrignac l'est aussi des crus du littoral. Son cidre reste fidèle à la grande tradition du pur jus. Depuis 1949, la famille Barbé produit un "p'tit fausset" (du nom de la cheville en bois placée sur le devant du fût) de belle qualité. La récolte a lieu dans des vergers hautes tiges plantés de variétés anciennes : Marine Auffret, Doux Oignon, Damelot, Bedan, Peau de Chien, Doux Moen, Marie-Ménard, Petit Jaune. La fermentation dure le temps qu'il faut, de trois à sept mois et plutôt sept que trois. Le jus est mis en fût de châtaignier et soutiré trois fois avant sa mise en bouteille. Le tout donne un cidre de bonne garde, ambré et tonique avec une pointe d'amertume.

Au nord des Côtes-d'Armor, le Trégor a moins bien résisté à la dépréciation du cidre. Quelques producteurs fermiers subsistent mais la relève n'est pas assurée. À Guimaëc, sur le versant finistérien du Trégor, Eric Baron a cependant repris le flambeau familial en 1993 et élève sa récolte en fûts de chêne. Il ne filtre pas mais il soutire à quatre ou cinq reprises, d'octobre à janvier. La production aujourd'hui limitée devrait augmenter dans les prochaines années puisque ce jeune artisan a pris le parti de replanter plusieurs hectares de pommiers avec les variétés Marie-Ménard, Kermerrien, Douce Coëtligné. Sa récolte est composée pour les deux tiers d'un cidre sec titrant jusqu'à 7°. La part restante est un cru demi-sec à 5° aux senteurs vanillées et agréablement fruité.

Deux types de bouquets partagent les cidres et révèlent le type de pommes pressées : une odeur de pomme au four, de compote et de caramel affirme la maturité des fruits, la rondeur et la plénitude de la boisson; tandis que le parfum de pomme verte apporte une note plus aiguë et plus vive assurant l'utilisation de pommes tôt cueillies.

Au sud de la Bretagne, le Morbihan a de nombreux points communs avec le Finistère. Pas d'industriels, peu d'artisans et de nombreux producteurs fermiers proposent un cidre sec, bien alcoolisé, généralement 6°, un peu âcre et malgré tout bien rond en bouche grâce à quelques essences du cru (File, Kroc'hen Ki, Guillevic) et surtout à un mélange typiquement vannetais (un tiers de pommes douces, un tiers de douces amères, un tiers d'acidulées).

Exemplaire à tout égard, le "cidre du terroir" que MM. Teurtrie et Coudray remettent à l'honneur depuis 1989 à Lizio, entre Vannes et Ploërmel. À partir de variétés (douces, amères et acidulées) récoltées à l'entour, Kermerrien bien sûr, Douce Coët et consœurs, ils produisent un cidre pur jus non pasteurisé. Après quatre mois de fermentation, c'est un cidre

naturel titrant 5,5°, de couleur jaune orangé, au pétillement persistant, qui laisse échapper une senteur de pommes. Un équilibre qui autorise une garde de 18 mois avant la dégustation.

Autre bon exemple d'un cidre de tradition, celui que Jean-Michel Nicol élève à Surzur dont l'entreprise a été fondée en 1934. Le cidre est pressé à partir de variétés bretonnes. Filtré avant l'embouteillage, non pasteurisé, ce cru garde la saveur douce acidulée des pommes originelles, Fil notamment. La cidrerie produit également un cidre monovariétal caractéristique : le Guillevic.

La particularité du pays vannetais, de la Laïta à la Vilaine, s'exprime en effet dans deux crus monovariétaux pressés avec les pommes Guillevic et Fil. Native de Baud, la pomme Guillevic atteint sa maturité au début du mois de novembre. Elle produit un jus acide, parfumé avec une robe jaune clair et d'un bon niveau alcoolique (6°). Cidre délicat, aux nuances subtiles, à la fois doux et acidulé, au pétillement persistant, le Guillevic est certainement une boisson à part dans la cave bretonne. La tradition de ce cidre pressé avec une seule variété vannetaise a été conservée par les producteurs fermiers avant d'être réapprise et reprise par quelques artisans dans le terroir d'origine. Plusieurs cidriers ont ainsi entrepris une labélisation du cru Guillevic avec le soutien de la Chambre d'Agriculture du Morbihan. Depuis 1975, Félix Le Fahler, à Colpo, fabrique ainsi un "Perlé de Guillevic" acidulé, à la senteur poivrée, aux arômes typés et bien présent au palais. Ce premier cru équilibré laisse une excellente impression. La cidrerie de la Vallée de la Claye que dirige Félix Le Fahler collectionne d'ailleurs les récompenses régionales et nationales tant pour le Guillevic que pour ses autres crus. Son cidre fermier brut respecte lui aussi la tradition. Pressé avec les variétés Douce Moen, Douce

Coet, Pomme Chien, File, Kermerrien, Guillevic récoltées dans le verger, après plusieurs mois de fermentation, il reste bien équilibré, d'une robe orangée, à la mousse fine et pétillant.

Autre spécialiste du Guillevic, Eugène Le Guerroué à Guidel presse un cidre fruité titrant 5°. Il produit également un cidre traditionnel de fermentation lente, avec un mélange de pommes douces complétées par des variétés amères et acidulées. Quant au cru monovariétal File, c'est à la ferme qu'il convient de le déguster, notamment dans le pays d'Auray où cette excellente pomme jouit d'une fidélité exemplaire.

Le vignoble nantais dissuaderait-il les cidriers ? Le pays nantais, le pays de Retz, la Brière et le pays de la Mée produisent en effet bien peu de cidre. La tradition a heureusement perduré au nord-ouest du département, à Guenrouët où il existe une cidrerie. Edmond et Maurice Guillet produisent sous la marque Kerizac un cidre industriel pasteurisé, bien commercialisé tant en grande distribution que dans les crêperies. Un beau succès pour ce cidre limpide, aux teintes caramel, sans excès de sucre et un peu court en bouche. Les tenants d'un cidre plus traditionnel choisiront un joli cru élevé à quelques encablures. La ferme Saint-Charles à Plessé presse un cidre naturellement effervescent, à la belle robe dorée et au

parfum bien affirmé de pommes mûres. Yvon Heurtel élève un cru sec, bien en bouche, qui tire bien parti de son amertume. Les pommes du verger, Petit Doux, Doux Dacotais, Bedanges et Douce Moën, sont récoltées à la main. Et le propriétaire-récoltant met un point d'honneur à respecter les règles d'une fabrication artisanale. Ni pasteurisation, ni gazéification, la prise de mousse reste naturelle après quatre mois de fermentation. Plus au sud, à Vertou, au cœur du vignoble nantais, "Les Vergers des coteaux nantais" produisent un excellent pur jus, solidement typé quoique ne titrant que trois petits degrés, à la fois doux et amertumé, avec une pointe d'âcreté rafraîchissante. Ce cidre à la robe joliment jaune, pressé à partir de pommes récoltées dans des vergers de plein vent, reste marqué par la douceur de ses fruits originaux.

Industriels, artisans et producteurs fermiers composent en Bretagne un réseau cidrier de grande qualité aux intérêts communs. Alors que les industriels doivent lutter dans le réseau de la grande distribution contre les cocktails et boissons à base de fruits, les récoltants tentent d'identifier l'originalité de leurs productions. A.O.C., label, classement… C'est une lente mais savante renaissance du cidre qui a lieu depuis une dizaine d'années.

LES AUTRES CIDRES

Le cormé est fabriqué avec les fruits du cormier également appelé sorbier domestique (Sorbus domestica). Ce sont des grappes de petites poires rouges qui donnent un cidre sec et âcre. Il était jadis fabriqué dans le Centre de la France et dans l'Ouest.

Devenu rare, le cidre de poires ou poiré est par contre toujours distillé par quelques producteurs fermiers du Domfrontais en Normandie, du pays de Pontivy et du Cogles en Bretagne. Plusieurs cidreries industrielles viennent d'en reprendre la fabrication tant en France qu'en Grande-Bretagne et en Suède. Le poiré est généralement plus sec de goût, plus clair de robe et plus pétillant que le cidre de pomme. Il est aussi plus riche en alcool et en acidité. Mais sa fermentation s'avère plus difficile à maîtriser.

La poire est également ajoutée à la pomme pour la fabrication du cidre dans les pays germaniques, en Suisse, en Allemagne et en Autriche.

La douceur normande

Quand janvier y tonne, prépare cuves et tonnes.
Dicton normand

PAGE EXTRAITE DU
Manuel théorique et pratique du Fabricant de Cidre et de Poiré,
Paris, 1834

Dès la fin du XIII siècle, les seigneurs et les bourgeois de Normandie maîtrisent l'art de l'arbre à pommes. L'archevêque de Rouen montre l'exemple en plantant des vergers autour de sa maison. En 1203, un événement opportun élimine la cervoise du bocage. L'intendant du duché de Normandie justifie une pénurie de céréales pour interdire le brassage de la bière. Cette interdiction et l'invention de la presse à pommes marquent le commencement d'un âge d'or. Les récoltes sont si abondantes que le port de Rouen devient une plaque tournante du cidre en Europe. Au XVI siècle, et jusqu'au XIX siècle, la richesse est paysanne et les érudits pomologues réputés et écoutés.

La production cidrière s'écoule bien, à bon prix et parfois jusqu'à plus soif. M. Valmont-Bomare signale en 1791 que *"L'ivresse causée par le cidre dure plus longtemps que celle du vin"*.

En 1862, la Société centrale d'horticulture de Rouen organise la première exposition des pommes et poires à cidre. 4 900 échantillons sont présentés à la curiosité du public et à l'analyse des savants. Un pharmacien d'Yvetot, M. Hauchecorne, a alors l'idée de soumettre les fruits à

une analyse chimique afin de sélectionner les meilleures variétés. Les résultats sont publiés en 1875 dans *Le Cidre*, un ouvrage qui restera longtemps le livre de chevet des cidriers français.

Terroir des pommes douces et douces-amères, la Normandie presse des jus à la fois colorés et naturellement amertumés. Faible en acidité et fort en alcool, le cidre normand n'est néanmoins pas un produit uniforme. De l'Eure au Cotentin, les crus sont nombreux. À chaque cru, sa terre et ses pommiers ! Mais les variétés sont si nombreuses qu'elles mettent les cidres à tous les goûts. La pomme Moulin à Vent, cultivée surtout dans l'Orne et l'Eure, donne un cidre peu alcoolisé mais très coloré tandis que la Douce Amère Grise sert un cidre cousinant avec les muscats. Et un cru pressé avec la Médaille d'Or, riche en tanin, aura une saveur comparable à une *lager*, la bière blonde du Nord.

Chaque terroir préserve sa différence en privilégiant ses variétés. Dans l'Orne, à Alençon et Argentan, la Hommet est réputée pour son jus "des plus doux et des plus agréables". La Bataille, également appelée Gros-Cul ou Fleur de Juin, procure un cidre de bonne garde, riche en alcool et en tanin. Dans le canton de Troarn, les cidriers leur préfèrent la Bonne Chambrière à la pulpe plus amère. D'ailleurs le Calvados marque sa prédilection pour des

LE *DICTIONNAIRE DU CITOYEN* SIGNALAIT QU'IL EXISTAIT DÉJÀ EN 1761 UN GRAND CHOIX DE CIDRES EN NORMANDIE : *"CEUX QUI PASSENT POUR LES MEILLEURS SONT CEUX DU PAYS D'AUGE, DU BESSIN ET DES ENVIRONS D'ISIGNY. IL Y A DES CIDRES QUI SE GARDENT QUATRE ANS."*

fruits amertumés : Amer-Doux, Railé et Douce-Dame (en première saison), Gros-Bois, Gagne-Vin précoce, Rouge Bruyère, Stalot-Feuillard, Cartigny (en deuxième saison), Muscadet, Mousseux, Bédan, Filasse (en troisième saison).
Dans le pays de Caux, entre la Manche au nord et la Seine au sud, les variétés plus appréciées sont Blanc Mollet, Vagnon Térel, Bramtôt, Martin-Fessart, Muscadet, Godard, Marin-Onfroy, Bedan, Saint-Laurent et Fréquin Rouge. Dans le pays de Bray, ce sont surtout des variétés douces-amères qui fleurissent dans les champs. Dans la vallée de la Seine, place encore et toujours à Blanc Mollet, Godard, Marin-Onfroy, et aussi Queue Torse, Vagnon, Antoinette, Binet Blanc, Sonnette, Bedan, Binet Gris et Violet, Peau de Vache et Simonnet.

DES COULEURS ET DES GOÛTS

L'aspect extérieur d'une pomme permettrait à un œil averti d'en deviner le caractère. Au début du siècle, un pomologue a osé une classification : "Les pommes d'une belle couleur jaune d'or, légèrement teintées d'un peu de gris au pédoncule, possèdent un arôme très accentué, assez de sucre et de tanin en moyenne proportion : telles le Blanc-Mollet et le Doux-Joseph. Les pommes dont l'épiderme est rouge mat, à reflets sombres, aux taches rousses, sont à la fois parfumées, riches en sucre et en tanin et contiennent assez peu d'acidité, comme la Reine des Pommes et le Fréquin rouge. Les pommes grises à peau rugueuse duveteuse renferment le plus de tanin mais manquent d'arôme, comme la Médaille d'Or. Les pommes à peau très fraîche, très lisse, à nuances à la fois verte, rose et jaune dénotent assez d'acidité mais les autres éléments qui s'y trouvent sont insuffisants."

C'est au pays de la pomme, une litanie de noms croquants et coquins qui s'égrènent derrière les haies et les clôtures, se conjuguent par dessus les cousinages. Parmi ces anciennes variétés, certaines ont quasiment disparu du paysage. D'autres résistent à la normalisation botanique. Nombre d'entre elles sont originaires de Seine-Maritime, pays de croisements naturels mais surtout laboratoire pomologique du siècle passé.

LA ROUTE DES CIDRERIES

A Anneville-sur-Scie, à 12 km de Dieppe, la cidrerie du "Duché de Longueville" reste l'un des plus beaux fleurons de l'industrie cidrière. Fondée dans le pays de Caux, en 1925, l'entreprise illustre la grande diversité des cidres de Haute-Normandie. Depuis 1960, la cidrerie a assuré la pérennité de son approvisionnement en contractant des conventions avec des producteurs locaux pour des baux courant jusqu'à 18 ans ! Antoinette, Muscadet de Dieppe, Argile Rouge Bruyère, Gros Œillet, Bedan… sont quelques-unes des variétés cultivées. Travaillés dans les 48 heures de leur

arrivée à la cidrerie, les fruits sont assemblés ou triés selon les crus à élever. Cinq variétés de pommes peuvent en effet être pressées séparément pour des crus monovariétaux. Antoinette, une pomme douce amère, donne un cidre brut titrant 5°. Limpide, à la mousse légère et peu pétillant, ce cidre à l'arôme bien fruité reste longtemps en bouche. Un petit goût de pépin et d'amande nuance son amertume. Muscadet de Dieppe est une variété plus moelleuse qui procure un cidre doux au parfum de pommes mûres. Ce cidre pétillant, à la robe sombre, est solidement typé en dépit d'une douceur alcoolémique et d'une petite faiblesse au palais. La meilleure harmonie et le plus bel équilibre des cidres monovariétaux du

Duché de Longueville est certainement le cru brassé avec la pomme Argile Rouge Bruyère. Fruit doux, il assure une rare élégance à un cidre tout en rondeur. Couleur franche, bulles persistantes, sans agressivité, agréablement typé, joyeusement parfumé, ce cru de faible alcoolémie ravit par son intensité.

Trois pressoirs automatisés, un laboratoire d'analyse… Le "Duché de Longueville" n'a pour autant pas perdu ses racines artisanales. Les étapes de fabrication allient tradition et technicité. Pressurage, clarification par collage à l'albumine de sang, stockage à 3° permettant une fermentation lente… Ces purs jus, sans adjonction de produits conservateurs et protecteurs, affichent en tout honneur le label régional normand.

La prise de mousse naturelle et la tradition n'excluent pas la modernité. Le "Duché de Longueville" est ainsi l'un des rares cidriers à proposer plusieurs crus en boîtes métalliques !

Dans un autre registre, M. Lambard, à Pissy-Poville, sauvegarde lui aussi les traditions en privilégiant la fermentation lente en fûts. Parmi les pommes assemblées pour obtenir un cidre fermier richement alcoolisé (jusqu'à 7°), les variétés normandes restent prépondérantes (Clos Renaux, Binet Rouge, Pomme de Chien, Antoinette). Non pasteurisé, le cidre des "Vergers du Quesnay" est un produit à la belle couleur ambrée, fruité et incidemment capiteux.

Si le pays de Caux conserve une belle réputation cidricole, c'est néanmoins le pays d'Auge qui concentre une grand part de la production. Ce terroir détient 40 % de la transformation régionale ! Cette prépondérance du pays d'Auge tient notamment à la présence des Cidreries du Calvados, une entreprise fondée en 1917 par la famille Favennec. Aujourd'hui, ce groupe industriel dont l'unité principale est à Livarot a fusionné avec le Breton La Fermière à Messac, pour fabriquer 350 000 hectolitres de cidre dans l'année. La production est distribuée jusqu'en Asie et en Amérique du Nord sous les marques "Écusson", "Bocages Écusson" et "Pipardière". À l'instar des bières et vins nouveaux, la marque met également sur le marché du début d'année un "cidre nouveau" clair et ambré.

La renommée du pays d'Auge est acquise depuis bien longtemps puisque Gabriel du Moulin, curé de Maneval, écrivit en 1631 dans son *Histoire générale* de Normandie : "*Il y a si grande quantité de pommiers qu'un homme y fait quelques fois deux ou trois cens tonneaux de sidres, si agréables au goust qu'ils réparent aisément le défaut du vin, et transportez par les rivières de Dives et de Touques au Havre de Grâce, à Honfleur et à Rouen, apportent un très grand profit.*" Bien entendu, les producteurs d'aujourd'hui restent les premiers à surveiller la qualité de leur cidre. Ils ont obtenu en octobre 1995 une appellation d'origine contrôlée pour les crus du pays d'Auge. Ni gazéification, ni

pasteurisation, le cidre doit
encore respecter l'identité des lieux. Pour
ce faire, des crus géographiques ont été réper-
toriés : Pont-L'Évêque, Livarot, Cambremer, Lisieux,
Vimoutiers. À chaque terroir correspond des fruits
spécifiques. Il y a bien sûr les pommes de base qu'on
retrouve des deux côtés de la Seine : Bedan, Binet
Rouge, Bisquet, Domaine, Fréquin Rouge, Germaine,
Mettais, Moulin à Vent, Noël des Champs, Rouge
Duret, Saint Martin... Mais chaque cru se distingue
de ses voisins en cultivant ses propres fruits : Saint-
Aubin, Calard, Rouge Mulot, Joly Rouge dans le
Cambremer ; Cimetière de Blangy, Joly Rouge, Pot de
Vin, Pomme de Rouen dans le Blangy-Pont-L'Évêque ;
Solage à Gouet, Groin d'âne, Egyptia, Orpola dans le
Livarot ; Pilée, Gros Yeux, Rousse de l'Orne à
Vimoutiers ; Saint Philbert, Argile Rouge, Petite
Sorte, Doux Normandie à Lisieux-Orbec.
Personnifiant bien le cru de Cambremer, François
Grandval presse à Grandouet, entre Caen et Lisieux,

A.O.C. DU PAYS D'AUGE

*Le pays d'Auge est le premier
cidre normand à obtenir l'appellation d'origine contrôlée.
La décision a été officialisée en
octobre 1995 et le décret a été
publié au début de l'année suivante. L'aire géographique
ayant droit à l'appellation
d'origine contrôlée du pays
d'Auge s'étend à l'est de Caen,
entre Honfleur et Gacé, et che-
vauche trois départements
(Calvados, Eure et Orne).
Quarante-trois producteurs
dont deux transformateurs
industriels peuvent aujourd'hui
revendiquer cette A.O.C. qui
totalise 600 000 bouteilles/an.*

un cidre fermier issu d'une vieille tradition familiale. Depuis deux cents ans, la ferme de Grandouet récolte ses pommes (Bedan, Saint Martin, Domaine, Noël des Champs), les bonifie jusqu'à maturité au grenier, les râpe, les presse et délègue au temps le soin d'élever un cru ambré et légèrement amertumé.

À Coudray-Rabut (14), "Les Fiefs Sainte-Anne" presse et commercialise sous couvert de plusieurs marques : "Christian Drouin", "Marquis de Saint-Loup" et "Chevalier des Touches". Cette entreprise fondée en 1969 fabrique un cidre à fermentation lente pressé avec les variétés Saint-Martin, Joly, Binet Rouge, Bisquet, Domaine…

Depuis 1924, la famille Deschamps, à Ouilly-du-Houley (Calvados), produit un cidre du pays d'Auge "naturel et non pasteurisé" à partir de fruits récoltés localement. Ce cidre diffusé sous la marque "La Paquine" surprend par la persistance de son pétillement. Légèrement voilé, abondamment sucré, ce cru aux arômes boisés et à la saveur un peu verte ne paraît pas un degré alcoolique au dessus de la moyenne normande, de 5 à 6°. Dans la même tonalité quoiqu'issu du cru voisin de Pont-L'Évêque, le cidre pressé par Michel Bréavoine à Coudray-Rabut marque le palais par son pétillement. Une robe jaune orangé légèrement trouble, une alcoolémie faible de 4°, ce cidre fermier aux odeurs végétales persistantes s'identifie bien aux caractéristiques du pays d'Auge. Léger et sec.

À la limite du pays d'Auge, à La Fresnaie-Fayel, entre Lisieux et Laigle, Michel Hubert produit sous la marque "Les Vergers de la Morinière" un cidre pur jus dans le plus grand respect des traditions artisanales. Il privilégie les pommes douces amères (Solage à Gouet, Grosieu, Pilée, Moulin à Vent, Bedan…) et une fermentation qui peut aller jusqu'à six mois en cave. Ambré, de moyenne alcoolémie (4,5°), aux arômes végétaux et aux saveurs épicées, ce cidre peut se garder deux ans à la cave.

Hors du pays d'Auge, l'association des Cidriculteurs du bocage normand rassemble depuis 1990 des propriétaires-récoltants de la Manche, de l'Orne et du Calvados. Représentant 250 hectares de vergers et moins d'un million de bouteilles, ces petits producteurs défendent un patrimoine et un savoir-faire menacés. Parmi eux, Benoît Davignon, installé depuis 1990 à Ussy, produit sous la marque "Ferme de La Maladrerie" un cidre artisanal de bonne tenue. Mis en bouteille au printemps après trois mois de fermentation, ce cidre d'assemblage (Petit Jaune, Vinet Rouge, Fréquin Rouge, Douce Coëtligné, Douce Moen…) possède une robe claire et des arômes végétaux ponctués d'une note framboisée. Il bâtit sa saveur charpentée avec une touche d'âcreté et une grande nervosité. Également cidriculteurs du Bocage, Guy et Serge Renouf récoltent, à Le Tourneur, un pur jus amertumé du pays de Vire. Depuis quinze ans, la "Cave La Mazure" reste fidèle à ses préceptes. Après le pressage en fin d'année, la fermentation dure le temps adéquat, huit mois s'il le faut. Et la mise en bouteille peut donc mener le cidrier jusqu'en été.

La Coopérative Elle et Vire est également implantée dans la filière cidricole. L'usine de Condé-sur-Vire est l'héritière d'une fabrique artisanale fondée en 1920 par Victor Brûle. Une unité de fabrication ultramoderne remplace l'antique maison reprise en 1961. 250 hectares de vergers sous contrat, une capacité de transformation de 10 000 tonnes de pommes par

57

an, un pressurage continu entièrement automatisé, cette cidrerie industrielle n'a pas pour autant cédé, en ce qui concerne sa production, à une normalisation de mauvais aloi. Sa gamme de cidre conserve une évidente et heureuse rusticité qui lui vaut régulièrement des médailles au Concours Général. Conservé en cuves réfrigérées à 2°, sans manipulation ni adjonction de conservateurs, le premier jus est mis en fermentation naturelle (15 à 30 jours) au fur et à mesure des besoins. Une robe claire, un goût fruité et gouleyant, les cidres "Elle et Vire" sont aussi distribués

sous les marques "Baron noir", "Père Cabaret" et "La Ginnelière".

Autre beau fleuron du bocage, la Cidrerie Dujardin, à Cahagnes, illustre la pérennité de la production normande. Fondée en 1926, cette entreprise est demeurée dans le giron familial. 4 500 tonnes de pommes, 30 000 hectolitres d'un cidre non pasteurisé avec prise de mousse naturelle par fermentation en bouteille. La cidrerie presse pour tous les goûts : sec, demi-sec, traditionnel, bouché… "La Coulée du Bocage" est ainsi un cidre traditionnel de table, jaune pâle, trouble et aux senteurs végétales prononcées que ne dément pas son amertume. "Le Clos Mesnil" est lui un cidre bouché bien pétillant, limpide et aux arômes agréables, fruité et équilibré, d'un bon souvenir en bouche. "Le Bon Cidre Normand" arbore le label des deux léopards, fier de son extraction locale et de sa typicité amertumée.

Plus au nord, dans le Cotentin, à Saint-Joseph, Michel Hamel a pris la suite de son père. Depuis 1946, sa famille produit et commercialise un cidre fermier à la saveur douce-amère propre aux crus locaux. De fermentation naturelle, ce cidre, également rétif à la pasteurisation, titre 5,5° et parfois plus. Toujours dans le Cotentin, à Yvetot-Bocage, Philippe Couppey fabrique un "Cidre de la Chesnaie" clair et doré. Élaboré avec des variétés douces, douces-amères et acidulées, ce cidre artisanal de fermentation lente garde une bonne tenue en bouche et une typicité qu'on pourrait qualifier de douceur voire de fraîcheur.

Jean-Luc Coulombier est aussi amoureux des choses bonnes et bien faites. Son cru de "L'Hermitière", à Saint-Jean-des-Champs, près de Granville, reste un cidre de tradition familiale. Depuis

1930, cette cidrerie artisanale entretient ses vergers, élève ses crus et récolte les médailles. Le cidre est pressé à partir de variétés douces, douces amères et amères de Normandie ou de la toute proche Bretagne. Les crus demeurent clairs et fruités sans atteindre une haute teneur en alcool (4°).

Dans le Mortainais, Bernard Daunay prend tout son temps pour récolter, presser et servir. Il pousse l'excellence jusqu'au ramassage manuel des pommes. Le cidrier exploite à merveille les richesses de l'Avranchin et du Mortainais : Doux Lozon, Clozette, Doux en Gobet, Tête de Brebis, Crollon. Les fruits sont ensuite stockés un mois pour un mûrissement à l'abri des intempéries avant le broyage et le cuvage de longues heures sur la maie en chêne. Moulin à pommes et pressoir en bois... La tradition vaut toujours à Juvigny-le-Tertre. Ce pur jus non filtré et non pasteurisé prend bien entendu sa mousse naturellement. Pour compenser un terroir pauvre en azote, Bernard Daunay privilégie les variétés douces-amères auxquelles il adjoint un tiers de fruits doux, amers et acidulés. Ce cidre de la vallée de la Sée, couleur de mandarine, limpide et aux odeurs fruitées, pétille de mille feux caractéristiques de la variété Tête de Brebis. Avec son goût prononcé de pommes au four, ce cidre intense aux saveurs épanouies est parfait pour accompagner un dessert.

Pourtant proche géographiquement du terroir de Bernard Daunay, la Coopérative fermière des Calvados du Bocage, à Isigny-le-Buat, produit un cidre artisanal autrement typé. En 1973, la coopérative réunissait sept récoltants. Ils sont aujourd'hui soixante rassemblés

Un alambic du début du siècle toujours en activité à la ferme de l'Hermitière à Saint-Jean-des-Champs, Manche

sous le label "Fermicalva" et tous sont naturellement installés en Mortainais et Domfrontais, à la
croisée de la Manche, de l'Orne et de la Mayenne.
Les variétés pressées sont essentiellement locales
(Peau de Chien, Judor, Tête de Brebis,
Président...). Ce cidre demi-sec de 5° commercialisé sous la marque "Fermicalva" ou "Le Pisquin" est à la
fois limpide et franc, d'une mousse fine et marqué de belles bulles.
Fruité, avec une odeur de pommes vertes, ce cidre long en bouche
dénote des crus du bocage par son amertume. D'autres cidres du
Domfrontais sont commercialisés par "Les Chais du Verger
Normand" sous la marque Comte Louis de Lauriston. Égale-
ment dans le terroir Domfrontais, la dernière née des cidre-
ries normandes date de septembre 1992. "Vert de Vie
Normandie" a été lancé à Le Teilleul par Yann Volcler.
L'usine fabrique cidre et poiré sous les marques "Vert de
Vie" et "Mont-Saint-Michel". Ce cidre artisanal à fermenta-
tion lente est pressé à partir des variétés Judor, Douce Moen,
Cidor, Clozette, Cozon, Fréquin... Limpide, à la robe jaune
clair, aux senteurs épicées, le cidre doux titre 2,5 °.
L'amateur lui préférera sa version brut à 4,5°. Très limpide, à la
robe d'or, pétillant, aux longues senteurs de pommes, ce cidre équilibré laisse au palais une impression d'harmonie.
Sous l'impulsion de Yann Volcler, un institut de cidrologie a été
fondé à Le Teilleul. Situé aux confins de la
Normandie, du Maine et de la
Bretagne, l'institut travaille à
la défense et à la promotion
des saveurs et des valeurs
cidricoles. Les producteurs y
côtoient les transformateurs
et les restaurateurs.

Dans les marches de l'Ouest

S'il pleut à la Saint-Philippe,
rien dans les tonnes, rien dans les pipes.
Dicton normand

Aux marches de la Bretagne et de la Normandie, le Perche a conservé une importante tradition cidrière. Moins connu que le cidre de ses deux grands voisins, il n'en est pas moins typé. Ni breton, ni normand assurément, il garde le goût d'un terroir qui s'étend de la Mayenne à l'Eure-et-Loir. Ses terres de prédilection se nomment Ernée, Mayenne, Mamers...

Pressés avec des pommes douces amères pauvres en tanin, ce cidre titre souvent au delà des 5°, atteignant parfois les 8°. Moins amer, plus onctueux que le cidre du littoral, ce cru garde une apparente douceur que dément son degré alcoolique. Cette intensité n'a rien d'ambiguë. Elle s'apparente plutôt à une grande subtilité qui ravit tous les férus de produits suffisamment sucrés mais déplaît aux amateurs de boisson plus brute... D'une saveur délicate et d'un arôme bouqueté, le cidre du Maine mérite bel et bien une appellation à part dans le classement des cidres de l'Ouest. Et bien sûr, il faut chercher la pomme pour comprendre la nature de ce cru. La Rousse de l'Orne serait peut-être le fruit emblématique de ce verger. Fruit à la pulpe ferme, douce et sucrée. Bien parfumé, il se drape d'une robe blonde, pour charmer le palais et tourner la tête.
À Saint-Pierre-des-Nids, en Mayenne, M. Fournier presse la

LES FRUITS DE LA SARTHE ET DE LA MAYENNE ONT UNE DENSITÉ SUPÉRIEURE DE TROIS POINTS AU PAYS D'AUGE TANDIS QUE LES VERGERS INTENSIFS PRODUISENT DES FRUITS D'UNE DENSITÉ PLUS RICHE QUE LES POMMIERS EN PLEIN VENT.

pomme (Bedan, Metais, Douce Moine, Fréquin) depuis 1942, pour en extraire le substantifique moût. Trois mois durant, le cidre se fait. D'une teinte ambrée, ce cidre de 5° garde tout son sucre ce qui lui assigne un arôme de miel. Au milieu des nombreux crus fermiers mayennais, on trouve un solide industriel, Yann Volcler, qui a élargi son territoire en prenant pied en Normandie avec une nouvelle cidrerie, "Vert de Vie" au Teilleul. Il fabrique et distribue un produit étiqueté normand. La marque, fondée en 1925 à Mayenne par Georges Volcler, se classe parmi les premières sociétés industrielles. La production annuelle atteint 100 000 hectolitres. Que ce soit sous les labels "Volcler" ou "La Fauconnerie", ce cidre est désormais distribué bien au-delà de sa région de production. Moins riche que les cidres élevés dans les fermes, il conserve cependant la saveur de la Mayenne et le brut figure parmi les cidres industriels les plus alcoolisés de sa gamme, en titrant 5,5°. Douce Moen, Kermerrien, Avrolles, Petit Jaune... Les variétés de pommes utilisées se sont bien acclimatées au

sol mayennais et procurent au cidre Volcler un beau doré, légèrement ambré, à l'attaque souple avec un rappel de miel, en dépit d'un goût un peu court en bouche. Le cidre doux reste équilibré,

sans aucune agressivité avec des arômes développés.

Plus haut, dans la Sarthe, à Dollon, les "Vergers du Père Ernest" sont aussi les dépositaires d'une longue tradition cidrière. Depuis 1918, cette cidrerie fondée par Ernest Sergent produit un cidre qui surprend par son arôme subit. Une mousse vive, des bulles persistantes, une odeur agréable aux relents d'épices, un degré alcoolique de 4.5° qui accentue sa douceur, ce cidre équilibré après une période de fermentation assez courte (moins de 45 jours) mérite d'être retenu par les amateurs.

Administrativement étiquetée en Normandie, c'est dans le Maine qu'il convient pourtant de situer "La Cidraie". Appartenant au groupe C.S.R., fondée en 1910 par Albert Dourdoihne, cette usine implantée à Le Theil-sur-Huisne (61) fabrique et diffuse 23 millions de litres d'un cidre blond de 4°. "La Cidraie" propose également sur le marché du début d'année une cuvée des "Capucins". Il s'agit d'un premier jus ambré au parfum de pomme fraîche, sucré et faiblement alcoolisé, pressé au début de l'automne. Quoique également situé en Normandie, à L'Hermitière dans l'Orne, c'est au Perche qu'il conviendrait de rattacher le beau cidre de Dominique Plessis. Il fait en effet partie de ces produits aux accointances plus mayennaises que normandes. Le cidre de l'Hermitière revendique d'ailleurs son appellation du

Perche. En peu de temps, il a acquis une solide et bienheureuse réputation. Lancée en 1990, la fabrication de ce cidre d'artisan a réussi, rapidement, à obtenir un très bon niveau. Mais Dominique Plessis n'est pas n'importe qui, il a appris les anciennes méthodes et s'y tient. Toutes les étapes sont conformes aux rites du cidre fermier qui prend le temps d'affirmer son caractère. La gamme des cidres proposés est exceptionnelle. Dominique Plessis propose en effet des cidres différents élaborés à partir de 15 variétés de pommes récoltées dans ses vergers. But de ce propriétaire-récoltant : imaginer des crus en fonction des odeurs et des saveurs. Il mélange, il expérimente, il compose des cidres différents en mariant les pommes douces, amères et acides. Le cidre de L'Hermitière demi-sec (5°) séduira assurément le plus grand nombre tant son fruité, aux accents framboisés, marqué par son originalité et une rondeur toute féminine. Pétillant et intense, il charme le palais par sa douceur suave.

Il ne reste alors plus qu'à s'asseoir au bord de l'âtre et déguster une rôtie : de la mie de pain grillé trempée dans un cidre très doux mis à chauffer près du feu de cheminée. Et pour garantir la récolte suivante, on veillera à saisir un brandon pour chatouiller les arbres du verger en chantant à la mode du Perche :

> *"Pomeri, Pomerol,*
> *si tu n'm'apport's pas des pommes,*
> *j'te brûle la barb' jusqu'au petit sicot."*

L'abbé Angot,
dans la Revue historique et archéologique du Maine, *décrit au siècle dernier l'ancienne manière de presser la pomme :* "Un simple tronc de chêne, creusé en forme d'auge servait, aux Carres, à piler les pommes des cidres destinés à la consommation de l'aumônerie de Saint-Julien, en 1466. Le même aménagement existait aux Bérardières, où sept sacs de pommes donnèrent dix-sept pipes de cidre en 1468."

67

Le cidre blanc du Nord

Il vaut mieux tonneau écli (séché)
que tonneau pourri.
Dicton, Picardie

TELLE POMME, TEL CIDRE

Les pommes douces produisent un cidre liquoreux, au bouquet affirmé, de robe orangée et de bonne garde.
Les pommes amères renferment le plus de tanin, leur cidre est sec, corsé, tonique. Il est généralement d'une robe ambrée, de longue garde.
Les pommes douces-amères produisent un cidre doux et parfumé, de teinte ambrée et de longue garde.
Enfin les pommes aigres-douces pauvres en tanin et en sucre donnent un cidre clair, délicat, acidulé, digeste et se gardant bien.

Dans ce pays de brasseurs de bière, les cidriers ont toutefois sauvegardé l'antique savoir du *pomorum*, vieille boisson de pommes. En pays picard, les plantations de pommiers s'intensifient au XVIIᵉ siècle. En 1900, les cidriers de l'Aisne pressent encore 265 600 hectolitres de cidre. Ce sera leur dernière grande année de production.

En 1904, la région compte encore 172 cidreries industrielles et représente 15 % du potentiel français (1 133 entreprises). La consommation est telle que la production locale ne suffit pas à couvrir les besoins et il faut importer du cidre de l'Ouest. Pourtant le cidre du Nord va subir une crise aiguë. Le verger est abattu, les agriculteurs quittent les champs pour l'usine, les consommateurs oublient le cidre.

Aujourd'hui, ils ne sont plus qu'une vingtaine de propriétaires-récoltants à défendre un cidre fermier de très grande qualité.

Une nouvelle filière s'organise, l'atelier Avesnois-Thiérache offre une assistance technique, le conservatoire de Villeneuve-d'Ascq sélectionne les plants et les variétés locales. Car avant d'élever le cidre nouveau, il s'est agi de replanter et de récolter les pommes. Abandonné depuis le début du

siècle, le verger a dû être totalement reconstitué. Armagnac de Picardie, Normande Jaune, Busset, Doux Montant, Coupette, Pomme d'Oignon, Normande Blanche, Petite Bonne Ente, Petit Plat Doux Blanc, Pomme Richard, Grise Sucrée, Grosse Grisette Amère, Rousse Amère, Grosse Grisette de Saint-Julien, Royaucourt, Petite Grisette, Pomme Bloyart, Petite Charlotte, Argile, Blanc Mollet, Fraisette… Les variétés régionales et locales reprennent du service. Le Nord redécouvre ses anciens fruits et retrouve le goût du cidre. Ce pays producteur de pommes chères à Louis XIV a réappris l'art de greffer, de croquer et de presser.

Plus léger, moins alcoolisé, le cidre du Nord a la couleur pâle d'un vin blanc de Loire. Parfumé et fruité, il doit sa longue garde à ses pommes. Car c'est encore et toujours le fruit qui fait la différence. Ici les pommes sont plutôt acides et peu sucrées. Blanc Mollet représente ainsi ce fruit amer-doux. Et la Sains-Richaumont ou l'Armagnac sont aussi susceptibles de produire un cidre monovariétal doux correspondant fort bien à la sensibilité du terroir. La proportion des essences privilégiées dans le Nord diffère bien sûr des mélanges bretons ou normands : deux tiers de douces-amères, un quart d'amères et un petit reste de pommes acides. La Somme, l'Oise, le Nord et l'Aisne partagent ce goût pour une boisson acidulée, faible en alcool et en tanin… Ne dit-on pas que les cidres du Nord sont à ceux de l'Ouest ce que le vin de Bordeaux est au vin de Bourgogne !

Le Clos de la Fontaine Hugo est l'exemple parfait d'un cru du Nord typé. D'un ocre pâle, ce cidre mousseux, extrêmement pétillant, est solidement enraciné. D'une grande longueur en bouche, il possède une première amertume et une douceur finale avec des notes florales prononcées approchant l'anis. Pressé à Parfondeval, dans l'Aisne, ce pur jus, demi-sec, correspond à la tradition de la Thiérache : des pommes de base locales (Sains Richaumont, Adam) couplées malgré tout avec quelques variétés extérieures, une fermentation de trois à quatre mois, une teneur en alcool inférieure à 5°. À Marly-Gomont, dans l'Aisne, Roger Cuvillier élève un autre cru fermier fidèle au terroir. Pressé à partir d'une trentaine de variétés, ce cidre brut reflète bien les caractéristiques du pays, à la fois amer et doux, à la saveur presque verte et aux arômes de bois.

En descendant de la Picardie vers la Normandie, les cidres s'adoucissent, se foncent et retrouvent les arômes de la pomme mûre. À Milly-sur-Thérain, dans l'Oise, la cidrerie Maeyaert produit une boisson moins amère que les cidres de la Thiérache et de l'Avesnois. Cette entreprise travaille avec des essences moins acides, essentiellement des pommes douces-amères et des poires ! Ce cidre orangé aux reflets sombres conserve une agréable odeur fruitée et livre un premier goût de pommes. Eric Maeyaert veille tout particulièrement à la qualité des

fruits qui, une fois cueillis, parachèvent leur mûrissement quinze jours en entrepôt avant le pressage. Cidre de fermentation lente, il peut attendre plusieurs mois en cuve avant la mise en bouteille. C'est donc un cidre à maturation qui peut être consommé dès le débouchage. Et ces pommes douces amères lui assurent une longue garde, de 18 à 24 mois.

Au pays des pommates

"Vous qui aimez tant les tonneaux à vuider,
Apprenez à les relier ;
Car ce qui est enclos dans les tonneaux
Entre dans vos boyaux."
David Ferrant (1654), *Chant royal*

LE TRAIN DES POMMES

Fruits rayés de rouges, ces "pommates" particulièrement acerbes donnent un cidre astringent qui annonce déjà les cidres du Palatinat. Rien d'étonnant donc à ce que dans la première moitié de ce siècle, les cidriers de Stuttgart et de Francfort se soient approvisionnés en pommes dans l'Yonne et l'Aube. Chaque automne, la Compagnie des chemins de fer de l'Est organisait un convoi quotidien entre Sens et Troyes. Le "train des pommes" passait dans toutes les gares de la ligne pour acheminer les wagons chargés de fruits jusqu'en Allemagne.

Le cidre champenois et son cousin alsacien sont certes moins illustres que le vin de Champagne et le Riesling mais ils existent et se laissent bien boire. Vestiges d'une production jadis florissante, les cidres de Brie, d'Othe, du Gâtinais et d'Alsace ont malgré tout résisté aux modes et aux régimes alimentaires. De la Seine-et-Marne à l'Alsace, en passant par l'Yonne et l'Aube, le cidre nouveau a conservé les vertus anciennes. Là est encore le prodige car la boisson des marches de l'Est n'a pas cédé à la tentation des variétés bretonnes ou normandes.

Région de tradition cidrière, la Brie ne s'est pas résignée à abandonner ses vergers aux tronçonneurs. Après l'épidémie de phylloxéra, au siècle dernier, le pays briard a dû arracher ses vignes et naturellement le verger déjà existant a pris ses aises. Les récoltes de pommes à cidre ont augmenté et une multitude de petites cidreries artisanales ont transformé la récolte en un cidre pâle et moins amertumé que son voisin normand. À proximité du grand marché parisien, il était aisé d'écouler la production. Mais les mœurs ont

évolué et les goûts se sont aussi transformés en pays briard. Des dizaines de cidreries ouvertes au début du siècle, il n'en reste plus ! À Bellot, en Seine-et-Marne, la cidrerie Mignard a intégré le groupe CSR-Pampryl au début des années 90 avant de cesser la production du cidre typiquement briard. Filiale du leader français du cidre, l'entreprise Mignard diffuse encore deux gammes de cidre dans le bassin parisien : "Jacques de Toy" et "Jehan de Brie". En collaboration avec le verger conservatoire de Savigny en Seine-et-Marne, la cidrerie avait sélectionné d'anciennes variétés briardes pour presser un moût se rapprochant des anciens crus locaux. Doux au goût, équilibré au palais et court en bouche, le cidre briard associe l'acide, le sucré et l'astringent certifiant ainsi qu'il n'est ni normand ni allemand. Ici les pommes s'appellent Belle Joséphine, Belle Fleur, Pomme de Souris, Maupertuis, Gendreville, Barré, Rousseau, Locard, Châtaignier d'Automne, Faro...

Plus à l'Est, partagé entre la Bourgogne et la Champagne, à la frontière de l'Yonne et de l'Aube, l'antique pays d'Othe affiche encore plus franchement son origine. Dans ces sols d'argile et de silex, la culture du pommier est profondément implantée. Des transactions de cidre y sont attestées dès 1533. En pleine vague pomologique, Eugène Noël y publie en 1833 un traité sur Les arbres à cidre et le cidre du pays d'Othe. Il y présente les Avrolles, Nez de Chat, Glénon... autant de variétés tardives aux jus acides. La boisson du pays d'Othe revendique une

authentique personnalité qui n'a plus rien de commun avec les cidres de l'Ouest. Et c'est encore une question de pommes. Au XIXe siècle, la réputation du cidre d'Othe n'est toujours pas à faire. Ce cru bien typé est pressé avec des variétés de pommes ayant des taux d'acidité supérieurs à 7 grammes. Après avoir, là encore, subi la loi des remembreurs et l'invasion des cocktails fruités, il a été dit que les cidriers du pays d'Othe ne se rendraient pas si facilement. En 1986, sous l'impulsion de passionnés, on a replanté des vergers et rassemblé les hommes. Une vingtaine de producteurs ont choisi les variétés du cru : Nez Plat, Flénon, Cul d'Oison... Et le cidre s'est remis à pétiller dans les tonneaux, un cidre sec, de couleur claire et de longue garde typique du pays. À Moussey, entre Troyes et Auxerre, Bruno Farine fabrique sous le label "Les Vergers en Othe" un cidre pur jus pressé avec des anciennes variétés locales. Une fermentation de cinq à six mois éclaircit le cidre et l'alcoolise jusqu'au printemps... Titrant 6.5°, ce cidre jaune pâle, limpide et bien pétillant demande à être servi très frais. À la senteur fruitée et à la

saveur de pommes prononcée, long en bouche et si heureusement caractéristique du terroir, ce cidre est une redécouverte agréable. Depuis quatre générations, la famille de Gérard Hotte presse la pomme à Eaux-Puiseaux. Avrolle, Cul d'Oison, Nez de Chat gagent d'un cidre acidulé au goût de "pierre à feu", qui titre jusqu'à 8°. À Chaource, près de Troyes, en bordure du vignoble, la cidrerie Bellot frères participe également à la renaissance du cidre du cru. Fondée en 1960, l'entreprise n'a d'abord pas pressé les pommes. Elle a commencé par distribuer du cidre normand. Mais on ne refait pas les goûts du terroir et la boisson de l'Ouest n'a guère plu aux habitués d'un cidre plus clair, plus sec, plus alcoolisé... Et le distributeur est ainsi devenu fabricant pour satisfaire les besoins locaux avant d'exporter lui-même 20 % de sa production... en Allemagne !

À Dicy, près de Charny dans l'Yonne, Jean-Marie Gois a perpétué la tradition cidricole du Gâtinais en produisant un pur jus fermier. Titrant de 6° à 4,5°, ce cidre clair, non pasteurisé et non gazéifié, marque par son acidité typique des petites pommes. Deux variétés (Avrolles et Sebin) sont à la base de ce jus dont la fermentation dure quatre mois, ce qui permet au parfum bien vert et à la saveur astringente de s'épanouir et d'assurer une garde de deux à trois ans. Le Clos du Rochy est exemplaire par son attachement à la tradition cidricole de Bourgogne.

En Alsace, les préoccupations ne sont plus les mêmes. Dans le pays du raisin, de l'orge et du houblon, la pomme fait figure non pas d'intruse mais de petit poucet. Boisson marginale au milieu des vignobles, le cidre alsacien n'en existe pas moins. L'entreprise Sautter Pom'Or est d'ailleurs l'une des plus anciennes cidreries françaises. Créée à Sessenheim (Bas-Rhin) en 1888, au cœur d'un terroir riche de 200 variétés locales, la cidrerie ne pouvait que conjuguer la pomme à tous les jus : sec et demi-sec, mousseux, doux.

Api, Belle Fille de Salins, Belle Fleur Rouge, Blanche de Bakdenheim, Boïken, Calville Blanche, Châtaignier d'Hiver, Court Pendu Gris, Eichelgold, Gewurztluiken, Kaiser Alexandre, Oberfelder, Pomme de Maître, Rosäckerle, Rosen-Apfel, Sauergrauech, Suisse Orange… Le cidrier alsacien a l'embarras du choix. Ces pommes plus précoces que les variétés du pays d'Othe sont cependant aussi acides et c'est en automne que commence le pressage. D'une fermentation rapide, de trois jours à un mois, ce cidre reste un produit d'une exceptionnelle limpidité. Tel l'or blanc, le cidre mousseux est certainement un produit adapté aux goûts contemporains. Il exhale un parfum persistant de pommes sucrées. Premier goût de pommes et arrière-goût boisé, ce cidre reste bien présent au palais. Une alcoolémie de 6° ne nuit en rien à sa dégustation mais certains préféreront un produit doux encore plus sucré voire un cidre sec plus traditionnel, apparenté aux cidres de Franconie.

POUR LE COMPTE DES PARTICULIERS

Conforme à une tradition germanique, la cidrerie de F. Sautter fabrique le cidre de milliers de clients, particuliers et agriculteurs, qui en contrepartie de leurs récoltes de pommes, bénéficient d'un cidre à prix préférentiel. De la mi-septembre à la mi-novembre, la cidrerie Sautter presse ainsi jusqu'à 3 000 tonnes de pommes par an !

Le cidre en Europe

ALLEMAGNE

GRANDE BRETAGNE

Premier pays producteur et premier pays consommateur d'Europe, la Grande-Bretagne produit un cidre traditionnel, doux et acide d'une alcoolémie inférieure à 4° dans la tradition fermière ainsi que des boissons industrielles, vineuses et pétillantes qui titrent jusqu'à 8°. En Belgique, des cocktails sophistiqués à base de cidre ont pris le pas sur les cidres dits traditionnels, à mi-chemin entre les vins champagnisés et les cidres doux. Les Suisses ont également développé une grande technologie notamment dans le pressage, la fermentation et la conservation. En dehors des productions locales et familiales, seize cidreries industrielles contrôlent un marché très protégé et proposent aux consommateurs : vins de pomme, cidre non filtré, cidre sans alcool et cidre mousseux aux accents germaniques. Troisième marché européen avec un million d'hectolitres, l'Allemagne possède deux grandes régions cidricoles, la Hesse et le Wurtemberg. À Francfort, on prise des cidres pâles, vineux et complètement fermentés qui s'apparentent à des vins secs mais l'Allemagne produit aussi des obstchaumwein mousseux ainsi que des mélanges de pommes, poires et cormes. Hormis le most, un cidre à peine fermenté, l'Autriche élève un apfelschaumwein sec et fruité selon la méthode

champenoise. Rien de tel en Scandinavie où les petites cidreries soutirent une boisson sucrée se situant entre le vin et le jus de pommes. Dans les pays baltes et en Pologne, le cidre traditionnel est généralement une boisson faiblement fermentée tandis que les industriels produisent un vin de pommes qu'ils mélangent aussi avec des fruits rouges. Enfin en Espagne, deuxième pays européen producteur de pommes à cidre, les deux tiers de la production sont des cidres industriels et pour un tiers des cidres artisanaux et fermiers. La production est concentrée dans le Nord-Ouest, en Galicie, Asturies et Pays Basque. Le sidra traditionnel est un pur jus non pasteurisé et non filtré de 5° tandis que le cidre industriel, mélange de moût et de concentré, est le plus souvent sucré et gazéifié.

BELGIQUE

GRANDE BRETAGNE

GRANDE BRETAGNE

ESPAGNE

ALLEMAGNE

LES MARCHÉS DU CIDRE EN EUROPE
(en millions de litres)

GRANDE-BRETAGNE : 382 (marché national), 13 à l'importation, 11 à l'exportation.

IRLANDE : 18 (marché national), 3 à l'importation.

BELGIQUE : 12 (marché national), 5 à l'importation, 15 à l'exportation.

FRANCE : 115 (marché national), 1 à l'importation, 13 à l'exportation.

ALLEMAGNE : 97 (marché national), 6 à l'importation, 6 à l'exportation.

ESPAGNE : 69 (marché national), 2 à l'importation, 3 à l'exportation.

SUISSE

SUISSE

ALLEMAGNE

SUÈDE

Carnet pratique

Recettes

Réduire de moitié. Passer au mixer. Monter cette préparation au beurre.
Servir sur des assiettes chaudes en nappant chacune d'elles de sauce.
Mettre l'escalope au centre. Parsemer de ciboulette et de brins de cerfeuil.

Escalopes de saumon au cidre

POUR 4 PERSONNES :
4 ESCALOPES DE SAUMON
DE 180 G CHACUNE
25 CL DE CIDRE DOUX
2 TOMATES MONDÉES
DÉBARRASSÉES DE LEUR PEAU,
ÉPÉPINÉES, VIDÉES DE LEUR EAU
ET CONCASSÉES
2 ÉCHALOTES FINEMENT HACHÉES
100 G DE CRÈME FLEURETTE
80 G DE BEURRE
I CUILLERÉE À SOUPE DE VINAIGRE DE CIDRE
SEL, POIVRE BLANC
I CUILLERÉE À CAFÉ
DE CIBOULETTE CISELÉE
BRINS DE CERFEUIL

À DÉGUSTER AVEC DU CIDRE DOUX

Dans un plat creux beurré allant au four, parsemer avec l'échalote hachée, mouiller avec le cidre et un trait de vinaigre de cidre. Mettre les escalopes de saumon salées et poivrées.
Recouvrir de papier d'aluminium. Mettre à four moyen (180°) pendant 10 mn.
Retirer les escalopes. Les maintenir au chaud.
Faire cuire le reste de cuisson en incorporant les tomates concassées, le vinaigre de cidre, la crème fleurette.

Filets de maquereaux marinés au cidre

POUR 4 PERSONNES :
4 PETITS MAQUEREAUX
DE LIGNE, DITS LISETTES
1/2 BOUTEILLE DE CIDRE BRUT
I CAROTTE
I GROS OIGNON
I CITRON VERT
I PETITE BRANCHE
DE THYM
2 FEUILLES DE LAURIER
SEL, POIVRE DU MOULIN
20 GRAINS DE POIVRE

À DÉGUSTER AVEC DU CIDRE DOUX TRADITIONNEL

Couper les nageoires des maquereaux avec des ciseaux. Les vider, les laver. Lever les filets, les mettre dans un plat creux en terre. Saler, poivrer au moulin, ajouter le jus du citron vert et les grains de poivre.
Éplucher l'oignon et l'émincer. Éplucher la carotte et la couper en fines rondelles.
Dans une casserole, mettre l'oignon, la carotte, le thym, le laurier, le cidre. Porter à ébullition.
Laisser cuire 5 mn. verser ce court-bouillon chaud sur les filets de maquereaux. Laisser mariner pendant 24 heures avant de servir.

Nage de coquilles saint-jacques au cidre

POUR 4 PERSONNES :
COMPTER 4 COQUILLES SAINT-JACQUES MOYENNES
PAR PERSONNE.
1/2 BOUTEILLE DE CIDRE BRUT
2 CAROTTES
1 OIGNON
1 BLANC DE POIREAU
1 PETIT BOUQUET GARNI
1 CUILLERÉE À CAFÉ
DE CIBOULETTE HACHÉE
80 G DE BEURRE
1 PINCÉE DE GROS SEL
15 GRAINS DE POIVRE BLANC

À DÉGUSTER AVEC DU CIDRE TRADITIONNEL

Retirer l'animal de chaque coquille à l'aide d'un petit couteau pointu, enlever la poche noire et laver la chair à l'eau froide. Il est plus facile de placer les coquilles lavées sur le feu pour les faire s'entrouvrir.
Préparer un court-bouillon avec les carottes épluchées, le blanc de poireau, l'oignon émincé finement, le bouquet garni, la pincée de gros sel, le poivre en grains.
Mouiller avec le cidre. Laisser cuire 10 minutes.
Pocher alors les noix de saint-jacques dans le court-bouillon pendant 4 minutes.
Les dresser sur le plat de service. Maintenir au chaud.
Monter au beurre le court-bouillon préalablement passé au chinois.
Laisser réduire quelques instants. Napper les coquilles saint-jacques de cette sauce.
Parsemer de ciboulette hachée.

Truites du pêcheur briard

POUR 4 PERSONNES :
4 TRUITES DE 200 G CHACUNE
30 CL DE CIDRE BRUT
100 G DE BEURRE
2 DL DE CRÈME FLEURETTE
1 CUILLERÉE À SOUPE DE MOUTARDE DE MEAUX
CIBOULETTE HACHÉE
SEL, POIVRE
PERSIL
2 ÉCHALOTES HACHÉES

À DÉGUSTER AVEC DU CIDRE BRUT

Habiller les truites ; à l'aide de ciseaux, couper le nagoires, les vider soigneusement, retirer les ouïes. Les laver, les laisser dégorger quelques minutes sous un filet d'eau froide. Les éponger.
Saler, poivrer des deux côtés.
Beurrer généreusement un plat allant au four.
Ajouter les brindilles de persil lavé, les échalotes hachées. Mouiller avec le cidre.
Placer les truites dans le plat et cuire au four pendant 15 minutes (200 °C). Arroser souvent.
Lorsque les truites sont cuites, les dresser sur le plat de service. Maintenir au chaud.
Passer le jus de cuisson au chinois. Incorporer la crème fleurette et un morceau de beurre. Laisser réduire, ajouter la moutarde de Meaux. Napper les truites. Passer au four très chaud afin d'obtenir une jolie couleur.
Parsemer de ciboulette ciselée pour servir.

Poulet fermier de l'Ardèche au cidre

POUR 4 PERSONNES :
I POULET FERMIER DE
L'ARDÈCHE (1,6 KG ENVIRON)
15 CL DE VINAIGRE DE CIDRE
1/2 BOUTEILLE DE CIDRE DOUX
5 CL D'EAU-DE-VIE DE CALVADOS
100 G DE BEURRE
I BOTTE DE PETITS OIGNONS
(OU 150 G D'OIGNONS GRELOTS)
I CAROTTE
I ÉCHALOTE
I BOUQUET GARNI
I BRANCHE D'ESTRAGON FRAIS
FARINE
SEL, POIVRE DU MOULIN

À DÉGUSTER AVEC DU CIDRE TRADITIONNEL

Préparer la volaille : vider, flamber. La couper en
8 morceaux. Saler, poivrer. Laisser mariner
pendant I heure au froid, recouverte du cidre et
d'une partie du vinaigre de cidre.
Dans une cocotte, préparer un fond : mettre la
marinade, la carcasse du poulet, les abattis, la
carotte, l'échalote émincée et le bouquet garni.
Laisser cuire 40 mn. Passer au chinois. Maintenir
au chaud.

Éponger les morceaux de volaille crus. Les fariner.
Dans une sauteuse, faire fondre le beurre, faire
colorer les morceaux des deux côtés, en
commençant par la peau. Flamber avec un mélange
moitié eau-de-vie de calvados, moitié vinaigre de
cidre. Mouiller avec le fond maintenu au chaud.
Terminer la cuisson à couvert pendant 35 mn.
10 mn avant la fin de la cuisson, retirer les ailes
du poulet (les maintenir au chaud) et ajouter les
petits oignons épluchés et lavés.
Dresser les morceaux de volaille dans un plat
entourés des petits oignons. Maintenir au chaud.
Terminer la sauce en faisant réduire le fond de
cuisson, à découvert. Passer au chinois. Y
incorporer un morceau de beurre en remuant.
Napper la volaille de cette sauce. Parsemer
d'estragon haché. Servir chaud.

Curry d'agneau au cidre

POUR 4 PERSONNES :
I ÉPAULE D'AGNEAU DE 1,2 KG PARÉE
(DÉBARRASSÉE DES PARTIES GRASSES ET
NERVEUSES) ET DÉSOSSÉE
I BOUTEILLE DE CIDRE DOUX
I GROS OIGNON
30 G DE FARINE
I CUILLERÉE À CAFÉ DE CURRY
2 CL D'HUILE
10 G DE BEURRE
2 POMMES ACIDES
SEL, POIVRE

À DÉGUSTER AVEC DU CIDRE DOUX

Couper l'épaule d'agneau en petits morceaux de 3 cm.

Dans une cocotte en fonte, faire blondir l'oignon haché dans le mélange d'huile et de beurre.

Saupoudrer de farine les morceaux d'agneau, les faire revenir dans la cocotte en les remuant avec une spatule en bois.

Mouiller avec la bouteille de cidre. Ajouter le sel, le poivre, le curry. Porter à ébullition puis recouvrir la cocotte de son couvercle.

Faire cuire à feu moyen pendant 1 heure.

Quinze minutes avant la fin de la cuisson, ajouter les deux pommes préalablement pelées, épépinées et coupées en petits dés.

Dresser dans un plat creux et servir accompagné d'un riz à l'indienne.

Escalopes de foie gras de canard au cidre doux

POUR 4 PERSONNES :
1 FOIE DE CANARD DE 450 G
1/2 BOUTEILLE DE CIDRE DOUX
150 G DE GRAINS DE RAISIN BLANC MONDÉS (DÉBARRASSÉS DE LEUR PEAU) ET ÉPÉPINÉS
SEL, POIVRE

À DÉGUSTER AVEC DU CIDRE DOUX

Trancher 8 escalopes dans le foie. Dans une poêle anti-adhésive, faire cuire les escalopes 3 minutes de chaque côté. Saler, poivrer. Égoutter les escalopes, les disposer dans un plat et les maintenir à chaleur douce.

Faire revenir les grains de raisin dans la graisse du foie gras. Mouiller avec le cidre doux. Laisser réduire jusqu'à ce que le cidre devienne sirupeux. Napper les escalopes de foie gras.

Servir chaud.

Grillades de porc poêlées

POUR 4 PERSONNES :
4 GRILLADES (OU CÔTELETTES) DE PORC
25 CL DE CIDRE (BRUT OU DOUX)
30 G DE BEURRE
1 CUILLERÉE À SOUPE DE CRÈME FRAÎCHE
1 CUILLERÉE À CAFÉ DE MOUTARDE DE MEAUX
SEL, POIVRE DU MOULIN
BRINS DE CERFEUIL

À DÉGUSTER AVEC DU CIDRE DOUX

Dans une grande sauteuse (ou une poêle), faire revenir les grillades dans le beurre des deux côtés. Saler, poivrer. Laisser cuire une dizaine de minutes.

Dresser les grillades dans un plat. Les maintenir au chaud.

Jeter la graisse de cuisson. Mouiller avec le cidre. Rajouter la crème. Laisser réduire. Au moment de servir, passer cette sauce au chinois puis y incorporer la moutarde de Meaux. Napper les grillades.

Décorer avec les brins de cerfeuil.

Lapin sauté au cidre brut et aux girolles

POUR 4 PERSONNES :
1 LAPIN DE 1,2 KG
1 BOUTEILLE DE CIDRE BRUT
500 G DE PETITES GIROLLES FRAÎCHES
1 OIGNON
1 CUILLERÉE À CAFÉ D'ÉCHALOTES HACHÉES
1 POINTE D'AIL HACHÉ
100 G DE BEURRE
3 CL DE CALVADOS
1 BOUQUET GARNI
SEL, POIVRE
FEUILLES D'ESTRAGON

À DÉGUSTER AVEC DU CIDRE TRADITIONNEL

Découper le lapin en 8 morceaux. Dans une cocotte en fonte, les faire revenir à feu vif dans une partie du beurre avec l'oignon coupé en 4. Flamber au calvados, saler, poivrer. Mouiller avec un verre de cidre. Avec une spatule en bois, détacher les sucs collés au fond de la cocotte. Laisser réduire à feu plus doux. Ajouter le bouquet garni, mouiller avec le reste de cidre et cuire à couvert pendant 50 minutes, si possible au four (180 °C).
Laver les girolles soigneusement et ôter les parties terreuses. Les faire chauffer très doucement, à couvert, afin de leur faire rendre leurs sucs. Puis les faire sauter dans le reste du beurre avec l'échalote et l'ail hachés. Saler, poivrer. Terminer la cuisson, rectifier l'assaisonnement si nécessaire.
Aux deux tiers de la cuisson du lapin (30-35 minutes), ajouter les girolles ainsi préparées dans la cocotte.
Au moment de servir, retirer les morceaux d'oignon et le bouquet garni. Dresser le lapin dans un plat creux, napper avec les girolles et le jus de cuisson. Parsemer de feuilles d'estragon.

Salade de fruits au cidre doux

POUR 8 PERSONNES :
4 POMMES GRANNY SMITH
400 G DE FRAISES
1 BARQUETTE DE FRAMBOISES
2 PÊCHES BLANCHES
2 PÊCHES DE VIGNE
4 ABRICOTS
500 G DE CERISES BIGARREAUX
1 BANANE
1 ORANGE
2 KIWIS
1 CITRON
FEUILLES DE MENTHE POUR DÉCORER

POUR LE SIROP :
1 BOUTEILLE DE CIDRE DOUX
20 MORCEAUX DE SUCRE DE CANNE
1 PINCÉE DE CANNELLE

À DÉGUSTER AVEC DU CIDRE TRADITIONNEL

Préparer le sirop avec le cidre, les morceaux de sucre et la cannelle. Laisser refroidir.

Pendant ce temps, préparer les fruits. Peler les pêches, les dénoyauter ainsi que les abricots et les couper en quartiers. Éplucher, épépiner, citronner les pommes émincées en lamelles de 3 mm d'épaisseur. Éplucher, citronner la banane et l'émincer. Éplucher les kiwis, les couper en rondelles, les réserver pour le décor.

Laver les fraises et les framboises. Peler à vif les oranges en rondelles.

Mettre à macérer tous ces fruits recouverts du sirop de cidre, pendant 1 heure, au froid.

Dresser les fruits dans une coupe en alternant les couleurs.

Terminer par une rosace formée des kiwis, des rondelles d'orange, des bigarreaux et des framboises. Disposer les feuilles de menthe autour de cette rosace. Servir frais.

Sorbet au cidre brut

POUR 8 PERSONNES :
1/2 BOUTEILLE DE CIDRE BRUT
300 G DE SUCRE SEMOULE
1/2 CITRON
1 BLANC D'ŒUF MONTÉ EN MERINGUE ITALIENNE

À DÉGUSTER AVEC DU CIDRE DOUX

Dans une casserole, verser le cidre et le jus du demi-citron. Ajouter le sucre. Porter à ébullition. Écumer, laisser refroidir.

Mettre en sorbetière, au froid, jusqu'au moment où la préparation est prise en glace.

Incorporer la meringue italienne à la préparation. Verser le tout dans le plat de service. Garder au froid (congélateur ou compartiment à glaçons) avant de servir.

Meringue italienne.
Fouetter le blanc d'œuf au bain-marie, incorporer en pluie une cuillerée à soupe de sucre glace.

Sabayon au cidre doux

POUR 4 PERSONNES :
125 G DE SUCRE SEMOULE
4 JAUNES D'ŒUFS
2 DL DE CIDRE DOUX

À DÉGUSTER AVEC DU CIDRE DOUX

Le sabayon est servi avec des entremets ou des tartes fines. Chaud ou froid, il sert à glacer des gratins de pommes ou de fruits rouges, selon la saison.

Réunir dans une casserole le sucre en poudre et les jaunes d'œuf. Mettre au bain-marie.

Fouetter fortement de façon à obtenir un ruban comme pour une génoise.

Ajouter doucement le cidre doux, continuer à fouetter jusqu'à ce que la composition soit devenue mousseuse et épaisse.

Maintenir à chaleur douce, au bain-marie, jusqu'à l'emploi.

Selon les goûts

Boisson née au cœur de l'hiver, le cidre s'épanouit aux premiers beaux jours. Cidre nouveau faiblement alcoolisé, cidre de garde sec et pétillant… Servi glacé au pays d'Othe, frais en Hesse, chambré en Normandie… L'usage varie selon les paysages.

Avant de boire, laissez le cidre chuchoter sa généalogie dans un pétillement naturel… Laissez-le prendre ses aises, notez les parentés et les alliances. Le cidre apporte l'acidité de la pomme et relève les plats avec un fruité savoureux, tantôt amer, tantôt fleuri.

Le cidre doux servira avec bonheur les volailles et les tartes. Mais on peut aussi imaginer sa copieuse rondeur pour cuire un gibier.

Le cidre brut accompagne les viandes en sauce et affirme avec opportunité des fromages de pâte forte. En cuisine, il entre avec pertinence comme ingrédient principal dans une marinade. Il souligne la note iodée des fruits de mer et corrige les poissons d'eau douce. En fin de repas,

Un cidre de tradition, un peu sec, tient bien avec un plateau de fromages !

En élargissant la cave aux crus germaniques, c'est un *apfelwein* du Main aux allures de champagne parfumé, aux qualités si féminines et si lyriques, qui doit ouvrir tout repas de fête. Midi illuminé de fleurs. Rafraîchissant et éclatant, il ouvre à tous les plaisirs juvéniles.

Dans les dîners estivaux, un *vintage* britannique, suffisamment fort et charpenté, ne peut que plaire par sa verdeur qui rappelle un vin blanc de l'estuaire de la Loire. Idéal pour tenir son rang dans un barbecue. Et s'il faut oser une incursion ibérique, c'est un *sidra* de Biscaye demi-sec qui doit gagner sa place aux côtés d'une friture de poissons, son amertume contenue assure une continuité en bouche paradoxalement onctueuse.

Bon à savoir

Le cidre dit "traditionnel" : Il recouvre deux produits différents. Le plus souvent, il s'agit de cidres fermiers qu'il est convenu d'appeler "rustiques". Ce sont des cidres secs, titrant de 4 à 8° d'alcool, non pasteurisés et aux goûts fortement prononcés. Des cidreries industrielles utilisent également cette appellation pour qualifier une boisson à la fermentation plus longue, à la robe légèrement trouble (due à un soutirage sur lie) et moins pétillante. Ce cidre industriel cherche à conserver des accents de terroir, à la fois acides, taniques et parfois amertumés.

LE CIDRE BOUCHÉ : La qualification de "cidre bouché" n'est pas non plus déterminante et spécifique d'une qualité. Elle n'est souvent employée que pour baptiser les cidres conditionnés dans des bouteilles champenoises et présentées avec un bouchon de liège, une collerette et un muselet. Cette appellation peut aussi recouvrir des cidres soutirés au printemps. Lors de sa mise en bouteille, le cidre doit alors contenir suffisamment de sucre pour produire l'effervescence à la dégustation.

Certains producteurs requièrent cette dénomination pour des cidres de crus originaux, liés soit au pressage d'une seule variété de pommes (crus monovariétaux), soit à un terroir géographique.

DOUX, DEMI-SEC OU BRUT : Le cidre résulte de la fermentation du sucre que contient le jus de pommes. Si certains cidres fermentent complètement et parviennent à une qualité proche du vin, d'autres cidres restent naturellement doux.

Pétillant jusqu'à la dernière gorgée, le cidre brut affirme très souvent un parfum de pomme au four, une saveur franche avec une dominante acide et une pointe d'amertume. Cidre de fermentation complète, avec peu de sucre résiduel (moins de 28 grammes/litre), d'une teneur en alcool souvent supérieure à 5,5 %. Ce type de cidre complètement fermenté est d'une grande tonicité.

Le cidre demi-sec désigne une boisson ni trop dure, ni trop douce. Il possède des sucres résiduels entre 28 et 45 grammes/litre. Une belle effervescence, une teneur en alcool proche de 5 %. Le cidre demi-sec désigne un produit acide suffisamment sucré pour un long goût en bouche. Avec le cidre doux, la note change. Certes, la maturité est souvent jeune (7 mois et demi) et le sucre non fermenté domine en bouche. Mais la douceur est agréable et l'alcool qui n'excède pas 3 %. ne nuit pas à une certaine vivacité.

PUR JUS : Tous les cidres distribués en France ne sont plus des "purs jus" de pommes sans addition d'eau et de concentré (le décret du 29 juillet 1987 a mis fin à cette tradition). Il existe désormais des cidres où interviennent 50 % de concentré. La raison de cet assouplissement réglementaire tient à la crainte de voir les industriels voisins pulvériser le marché français des boissons faiblement alcoolisées. Les producteurs anglais et suisses ont en effet la faculté de reconstituer des moûts à partir de concentré de jus de pommes.

À la découverte du cidre

- Musée du Pays d'Othe, 10130 Eaux-Puiseaux, tél. 03.25.42.15.13
- Musée régional des Arts populaires, 89110 Laduz, tél. 03.86.73.70.08
- Musée de la Ferme de nos aïeux, Le Char à Banc, 22170 Plélo, tél. 02.96.74.13.63.
- Cave cidricole du Goëlo, 22450 La Roche-Derrien, tél. 02.96.91.31.28
- Musée du Cidre, La Ville Hervy, 22690 Pleudihen-sur-Rance, tél. 02.96.83.20.78
- Musée du Cidre de Bretagne, Kermarzin, 29560 Argol, tél. 02.98.27.35.85
- Route du Cidre en Cornouaille, Kroas Avalou, 29940 La Forêt-Fouesnant, tél. 02.98.56.92.03
- Musée de la Paysannerie, Baguer-Morvan, 35120 Baguer-Morvan, tél. 02.99.48.04.04
- Ecomusée du Pays de Rennes, La Bintinais, 8, rte de Châtillon, 35200 Rennes, tél. 02.99.51.38.15
- La Maison du Cidre, Le Calvaire, 35540 Plerguer, tél. 02.99.58.91.16
- La Ferme cidricole, Saint-Charles, 44630 Plessé, tél. 02.40.51.86.95
- Écomusée de la Ferme et des Vieux Métiers, 56460 Lizio, tél. 02.97.74.93.01

- Musée du Calvados et des Métiers anciens, route de Trouville, 14130 Pont-l'Évêque, tél. 02.31.64.12.87
- Musée ethnographique de la Ferme, Ferme de Saint-Quentin, 14420 Soumont-Saint-Quentin, tél. 02.31.90.88.18
- Maison de la Pomme, Parc naturel régional de Brotonne, Église, 27680 Sainte-Opportune, tél 02.32.57.16.48
- Musée de la Normandie traditionnelle, Ferme du Bois Jugan, 50000 Saint-Lô, tél. 02.33.56.26.98
- Musée de l'Avranchin, 11, rue de l'Office, 50300 Avranches, tél. 02.33.58.25.15
- Ecomusée du Cidre et de la Ferme, L'Hermitière, 50320 Saint-Jean-des-Champs, tél. 02.33.61.31.51
- Musée de la Ferme du Cotentin, chemin Beauvais, 50480 Sainte-Mère-l'Église, tél. 02.33.41.30.25
- Musée de la Pomme et de la Poire, Parc naturel régional de Normandie-Maine, La Logeraie, 50720 Barenton, tél 02.33.59.56.22
- Musée régional du Cidre, Le Grand Quartier, rue du Petit-Versailles, 50700 Valognes, tél 02.33.40.22.73
- Musée des Arts et Traditions populaires du Perche, Sainte-Gauburge, 61130 Saint-Cyr-la-Rosière, tél. 02.33.73.48.06
- Maison de la Pomme et de la Poire, Le Chapitre, 61320 Carrouges, tél. 02.33.27.21.15
- Musée Mathon-Durand des Traditions populaires du Pays de Bray, Grande-Rue Saint-Pierre, 76270 Neufchâtel-en-Bray, tél. 02.35.93.06.55
- Musée de la Fermentation fermière, 76220 Brémontier-Merval

- Musée des Vieux Métiers, 7, place Joseph-Moreau, 49290 Saint-Laurent, tél. 02.41.78.24.08
- Éco-musée Normandie-Maine, La Ferme du Chemin, 53250 Madré, tél. 02.43.08.57.03
- Musée du Cidre, La Duretière, Melleraye-la-Vallée, 53110 Lassay-les-Châteaux, tél. 02.43.04.71.48./02.43.04.03.26
- Musée du Bois et de l'Outil Montgobert, 47, allée du Château, 02600 Montgobert, tél. 03.23.96.36.69
- Conservatoire de la Vie agricole et rurale de l'Oise, 186, rue de Marseille, 60360 Hétomesnil, tél. 03.44.46.92.98
- La Ferme d'antan, 80480 Creuse-Saleux, tél. 03.22.90.93.26
- Association pour la sauvegarde des variétés fruitières du terroir picard, 60210 Cempuis
- Éco-musée du Matériel agricole et rural, 60360 Hétomesnil
- Écomusée de la Pomme, Parc naturel du Vexin, 95770 Saint-Clair-sur-Epte, tél. 03.34.67.69.69
- Éco-musée de la Distillerie, 70220 Fougerolles
- Conservatoire des Espèces fruitières d'Aquitaine, Écomusée de la Grande Lande, 40630 Sabres, tél. 05.58.07.52.70
- Société pomologique du Berry, 36230 Neuvy-Saint-Sépulchre
- Musée ethnographique de France, Le Château, 18410 Argent-sur-Sauldre, tél. 02.48.73.33.10
- Musée des Arts et Traditions populaires Albert Demard, 7, rue de l'Église, 70600 Champlitte, tél. 03.84.67.82.00.

Quelques fêtes du cidre

- Pissy-Poville (Seine-Maritime), 4e week-end de juin
- Dragey-Ronthon (Manche), 2e week-end de juillet
- Fouesnant (Finistère), 3e week-end de juillet
- Clohars-Carnoët (Finistère), 4e week-end d'août
- Caudebec-en-Caux (Seine-Maritime), 4e week-end de septembre
- Neuilly-Saint-Front (Aisne), 1er week-end d'octobre
- Peillac (Morbihan), 2e week-end d'octobre
- Soumont-Saint-Quentin (Calvados), 2e week-end d'octobre
- Pont-d'Ouilly (Calvados), 4e week-end d'octobre
- Redon (Ille-et-Vilaine), 4e week-end d'octobre
- Sauveterre-de-Rouergue (Aveyron), 4e week-end d'octobre
- Sommery (Seine-Maritime), 1er week-end de novembre
- Saint-Valery-en-Caux (Seine-Maritime), 2e week-end de novembre
- Le Plessis-Dorin (Loir-et-Cher), 4e week-end de novembre.

Les bonnes adresses à connaître

BRETAGNE

- Hervé Seznec, cidre artisanal, Manoir de Kinkiz,
Ergué-Armel, 29000 Quimper
- Claude Goenvec, cidre fermier, 56 Hent
Carbon, 29170 Fouesnant
- Eric Baron, cidre artisanal, Domaine de
Kervéguen, 29620 Guimaëc
- Distillerie des Menhirs, Guy Le Lay, cidre
artisanal, Pont Menhir, 29700 Plomelin
- Kerné, Yves Bosser, cidre artisanal, Mesmeur,
29710 Pouldreuzic
- Cidrerie Le Brun, cidre artisanal, Brésignon
29720 Plovan
- Cidrerie Michel Maman services, cidre artisanal,
7 rue Flandres-Dunkerque, 35150 Janzé
- CSR, Cidrerie Loïc Raison, cidre industriel,
BP 61 Domagné, 35222 Châteaubourg Cedex
- Cidrerie La Fermière, cidre industriel,
35480 Messac
- Cidre Chapron-Sorre, cidre artisanal,
Le Calvaire, 35540 Plerguer
- Cidres fermiers de la vallée de la Claye,
cidre artisanal, Félix Le Fahler, 56390 Colpo
- Jean-Michel Nicol, cidre artisanal, Kergenet,
56450 Surzur

- Cidre de terroir, cidre artisanal,
Sainte-Catherine, 56460 Lizio
- Cidre Eugène Le Guerroué, cidre artisanal,
Kermabo, 56520 Guidel
- Cidrerie Gilles Barbé, cidre artisanal,
13 rue Nationale, 22230 Merdrignac
- Ets Guillou-Le Marec, cidre industriel,
ZI de Ker Lann, 22500 Paimpol
- Les Vergers des côteaux nantais, cidre artisanal,
Les Ajoncs, 44120 Vertou
- Cidrerie Saint-Charles, cidre artisanal,
Yvon Heurtel, cidre fermier, 44630 Plessé

- CIDREF (90 adhérents), M. Lozac'h,
5 allée Sully, 29322 Quimper Cedex

NORMANDIE

- Distillerie des Fiefs Sainte-Anne, cidre artisanal,
route de Deauville, 14130 Coudray-Rabut
- Michel Bréavoine, cidre fermier, Coudray-Rabut
14130 Pont-L'Evêque
- Cidreries du Calvados, cidre industriel,
route de Lisieux, 14140 Livarot
- Cidre Dujardin, cidre industriel, Cahagnes,
14240 Caumont-l'Éventé
- François Grandval, cidre fermier,
14340 Grandouet
- Guy et Serge Renouf, cidre fermier,
La Mazure, 14350 Le Tourneur
- Cidrerie Benoît Davignon, cidre artisanal,
La Maladrerie, 14420 Ussy
- Cidrerie du pays d'Auge, Jérôme Deschamps,
cidre artisanal, 14590 Ouilly-du-Houley
- Jean-Luc Coulombier, cidre artisanal,
L'Hermitière, 50320 Saint-Jean-des-Champs.
- Coopérative Fermicalva, cidre artisanal,
Le Grand Chemin, BP 5, 50450 Isigny-le-Buat
- Bernard Daunay, cidre fermier, La Monnerais,

Le Mesnil-Toué, 50520 Juvigny-le-Tertre
- Cidrerie Vert de Vie, cidre artisanal,
ZA la Pommeraie, 50640 Le Teilleul
- Michel Hamel, cidre artisanal, Les Petits Bois,
50700 Saint-Joseph
- Cidre de la Chesnaie, Philippe Couppey, cidre
artisanal, La Chesnaie, 50700 Yvetot-Bocage
- Cidrerie Elle et Vire, cidre industriel,
BP 2, 50890 Condé-sur-Vire
- CSR Cidrerie Anée, cidre industriel,
BP 20, 61120 Vimoutiers
- Michel Hubert, cidre artisanal, La Morinière,
61230 La Fresnaie-Fayel
- Cave de l'Hermitière, cidre artisanal,
La Cour, 61260 L'Hermitière
- CSR, Cidrerie La Cidraie, cidre industriel,
L'Aiguillon-La Rouge,
61260 Le Theil-sur-Huisne
- Les Chais du Verger Normand, cidres fermiers,
rue du Mont-Saint-Michel,
61700 Domfront-Gare
- CSR, Cidrerie du Duché de Longueville, cidre
industriel, Anneville-sur-Scie,
76590 Longueville-sur-Scie
- Cidrerie Lambard, cidre fermier, Le Quesnay,
76360 Pissy-Poville

MAINE-PERCHE
- Cidrerie Volcler, cidre industriel,
rue du Prieuré, 53100 Mayenne
- Fournier producteur-éleveur, cidre artisanal,
Villeperdue, 53370 St-Pierre-des-Nids
- Cidrerie des Vergers du Père Ernest,
cidre artisanal, La Borde du Colombier,
72390 Dollon
- Cave de l'Hermitière, cidre artisanal, La Cour,
61260 L'Hermitière

PICARDIE-AISNE
- Roger Cuvillier, cidre artisanal,
56 rue de la Poterie, 02120 Marly-Gomont
- Clos de la Fontaine Hugo, cidre artisanal,
6 rue du Moulin, 02360 Parfondeval
- Cidrerie Maeyaert, cidre artisanal,
rue de la Gare, 60112 Milly-sur-Thérain

- Atelier Avesnois-Thiérache,
43, rue du Général-de-Gaulle,
02260 La Capelle

SEINE-ET-MARNE
- CSR Cidrerie Mignard, cidre industriel,
BP 1, 77510 Bellot

ALSACE
- Pom'Or-Sautter, cidre industriel,
13, route de Strasbourg,
67770 Sessenheim-Dengolsheim

PAYS D'OTHE
- Bruno Farine, cidre artisanal,
Les Vergers-en-Othe, 10800 Mousse
- Gérard Hotte, cidre fermier,
22, rue Largentier, 10130 Eaux-Puiseaux

GÂTINAIS
- Jean-Marie Gois, cidre fermier, Le Clos du
Rochy, Dicy, 89120 Charny

BIBLIOGRAPHIE

Revues
- Revue mensuelle Le Cidre et le Poiré, années 1891-1909.

Ouvrages
- Manuel théorique et pratique du fabricant de cidre et de poiré, L.-F. Dubief, Librairie encyclopédique de Roret, Paris, 1834.
- Les Vignobles et les Arbres à fruits à cidre, A. du Breuil, librairie Masson, Paris, 1875.
- Industrie laitière et fabrication du cidre, cours de chimie agricole, M. G. Lechartier, Rennes, imprimerie Caillot, 1881.
- Miracles de saint Magloire, Arthur de La Borderie, Rennes, 1891.
- La Cidrerie moderne ou l'Art de faire le bon cidre, Georges Jacquemin et Henri Alliot, Malzéville-Nancy, imprimerie Thomas, 1902.
- Souvenirs du vieux temps, Laisnel de la Salle, Maisonneuve, 1902.
- Pomologie et Cidrerie, G. Warcollier, librairie Baillière, Paris, 1909.

- Études du symbolisme dans le culte de la Vierge, Abbé E. Bertrand, Paris, 1947.
- Loki, Georges Dumézil, Paris, 1948.
- L'Agriculture au Moyen-Age, de la fin de l'Empire romain au XVIe siècle, Roger Grand et Raymonde Delatouche, Paris, 1950.
- Légendes et contes du pays comtois, G. Michel, Ingersheim, 1979.
- Récits mythologiques irlandais, Christian J. Guyonvarc'h, 1980, Ogam, Rennes.
- Le Cidre, la Pomme, le Calvados, Paul Robin et Michel de la Torre, éditions Papyrus, Paris.
- Histoire des boissons en Bretagne et ailleurs, Gildas Jaffrennou, Ploeren, 1987.
- Le Cidre fermier en Thiérache, Henri Braillon, 1990, Atelier Avesnois-Thiérache.
- Le Cidre en Goëlo, Yves Le Goas, Ar-Men février, 1992.
- Le Guide du Cidre de Cornouaille, Mark Gleonec, La Forêt-Fouesnant, 1993.
- Le Cidre en Allemagne, thèse de commerce international, Hélène Huilizen, 1993.

Remerciements

Nathalie Bériot, directrice de l'ANIEC, Paris
Christian Bosshard, conseiller production
cidricole à la Chambre d'Agriculture du Calvados,
Caen (Calvados)
Jean-Marc Chandouineau, maître cuisinier,
Le Relais des Gastronomes à Redon
(Ille-et-Vilaine)
Philippe Collange, Compagnie européenne
de reportages, Fontenoy (Aisne)
Benoît Davignon, Association
des Cidriculteurs du Bocage Normand,
Ussy (Calvados)
Françoise Gion, Atelier Agriculture
Avesnois-Thiérache (Aisne)
Alain Guérin, amateur éclairé des cidres
européens, Lorient (Morbihan)

Catherine Hubert, groupe Cidrerie et Sopagly
Réunies, La Courneuve (93)
Michel Hubet, producteur du Pays d'Auge,
La Fresnaye Fayel (Orne)
Hélène Huilizen, auteur d'une thèse sur le cidre,
Plouay (Morbihan).
Alain Le Goff, ingénieur agronome,
Commana (Finistère)
Raymond Lozac'h, président du Cidref à
Quimper (Finistère)
Pascal Macé, maître d'hôtel, restaurant Le Relais
des Gastronomes à Redon (Ille-et-Vilaine)
Maitia Pantxika, Association Sagartzea à Lantabat
(Pyrénées-Atlantiques)
Stéphane Thomeret et Dominique Poisson, Rennes
Jean-Louis Pressensé, La Gacilly

Crédits photographiques

p. 4, © Collection particulière ; p. 6, photo Sylvie Vernichon ;
p. 7, © Ph. Asset/Option Photo ; p. 8 et 9, © Collection
particulière ; p. 10, © N.D. - Viollet ; p. 11, © Collection
Viollet ; p. 13,14, © Collection particulière ; p. 15, ©
Collection Viollet ; p. 16 - 17, © Hervé Lenain/Option Photo ;
p. 18, © Collection particulière ; p. 19, © B. Enjolras/Option
Photo ; p. 20, © Collection particulière ; p. 21, en haut, ©
Roger Viollet, en bas, © Collection particulière ; p. 22, ©
Roger Viollet ; p. 23, en haut, © Roger Viollet, en bas, ©
Collection particulière ; p. 24, © J.L. Tesserand/Option Photo
; p. 25, © Roger Viollet ; en bas,
© Collection particulière ; p. 26 - 27, photo de fond,
© Collection particulière Éric Baron, photo de paysage,
© Bloquet/Option Photo ; p. 28, Le Pressoir, (gouache sur
papier vert, 32,5 x 50 cm de Mathurin Méheut, date : entre
1940 et 1958), Ph. © Musée Mathurin Méheut, Lamballe, ©
ADAGP, 1997 ; p. 29, © B. Enjolras/Option Photo ; p. 30, 31,
32 , © Collection particulière ; 34-35, © MAP/Yann Monel ;
36, 37, © Collection particulière ; 38-39, © MAP/Arnaud
Descat ; p. 38, 39, 40, 41, 42, 43, 44, 45, 46 © Collection
particulière ; p.47, © B. Enjolras/Option Photo ; 48-49, ©
MAP/ Arnaud Descat ; p. 48, 49, 50, 51, © Collection
particulière ; p. 52-53, © MAP/Yann Monel ; p.54, 56, 57, 58,
59, 60, 61 : Collection particulière ; p. 62-63, © MAP/Alain
Guerrier ; p. 64, 65, 66, 67, © Collection particulière ; p. 69,
© B. Enjolras/Option Photo ; p. 70, 71, © Collection
particulière ; p. 73, © D. Azambre/Option Photo ; p. 75, 76,
77, 78, 79, 80, © Collection particulière.
Les cartes des pages 33, 55, 74 et les dessins d'illustration du
Carnet pratique ont été réalisés par Carole Furby.
Les recettes du Carnet pratique sont extraites du Guide
du Cidre en France et pubiées avec l'aimable autorisation
de l'A.N.I. E.C.
L'auteur remercie également tous les producteurs français
et étrangers qui ont bien voulu lui communiquer
les documentations nécessaires à la réalisation de son livre.